（美）房龙 / 著　文思 / 编译
你一定爱读的
极简西方艺术史
北京联合出版公司
Beijing United Publishing Co.,Ltd.

图书在版编目（CIP）数据

你一定爱读的极简西方艺术史 /（美）房龙著；文思编译 . — 北京：北京联合出版公司，2016.1（2022.3 重印）
ISBN 978-7-5502-6377-2
Ⅰ . ①你… Ⅱ . ①房… ②文… Ⅲ . ①艺术史－西方国家－通俗读物 Ⅳ . ①J110.9-49
中国版本图书馆 CIP 数据核字（2015）第 236624 号

你一定爱读的极简西方艺术史

著　　者：（美）房龙
编　　译：文　思
出 品 人：赵红仕
责任编辑：牛炜征
封面设计：韩　立
内文排版：刘欣梅

北京联合出版公司出版
（北京市西城区德外大街83 号楼9 层 100088）
北京市松源印刷有限公司印刷　新华书店经销
字数409千字　720毫米 × 1020毫米　1/16　16印张
2016年1月第1版　2022年3月第2次印刷
ISBN 978-7-5502-6377-2
定价：78.00元

PREFACE 前言

房龙（1882~1944），荷兰裔美国作家和历史学家。1882 年 1 月 14 日生于荷兰鹿特丹，尽管家庭富有，可是与父亲的关系并不融洽，因而他从小就喜欢逃避到“过去”中，在历史著作中寻找心灵的慰藉。1903 年后前往美国和德国求学，在美国时期，他在康奈尔大学完成了本科课程，然后前往德国，于 1911 年获慕尼黑大学博士学位。但他没有从此走上纯书斋的学术生涯，相反，他颇为看轻这种生活，他说：“学问一旦穿上专家的拖鞋，躲进了它的所谓华屋，且将它鞋上的泥土之肥料抖去之时，它便预先宣布了自己的死亡。与人隔绝的知识生活是会把人引向毁灭中去的。”他的一生漂泊不定，先后当过编辑、记者，也曾在美国数所大学任教。他的天才，他的苦读，他的人生历练，使他成为一个多才多艺的人。

本书以优美的文字、清晰的思路讲述了西方美术史的发展轨迹与幕后精髓，详尽囊括了史前时期、罗马时期、哥特时期、文艺复兴时期、巴洛克时期、洛可可时期、法国革命与帝国时期以及 20 世纪之后的人类艺术发展进程与风格特征，并结合艺术发展同期的社会、政治、经济、人文背景进行深刻的评析，让人们在轻松学习西方美术的相关知识同时，更能快速地捕捉其发展历程的主线与深层根源。为了便于读者的领悟，满足人们更高层次的阅读需求，更真切、清晰地介入房龙的创作思维与意境，书中在精准翻译原著的基础上，更附加了大量世界顶级艺术大师的得意名作以及详细的资料、赏析文字。相信它在帮助读者全方位阅读、欣赏、研究西方美术史的同时，更能够呈现出一个精致、绝美、鲜活的西方艺术世界。

V·BOVGVEREAV

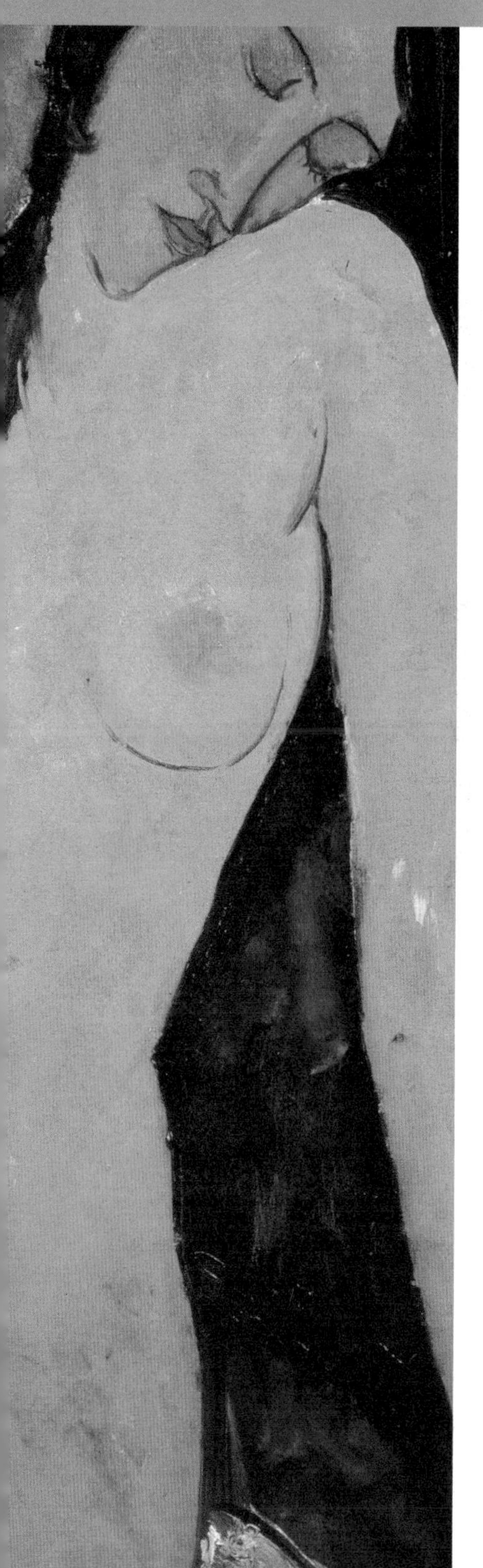

CONTENTS 目录

第一章 画家究竟想做什么 / 1

第二章 罗马时期 / 26

第三章 哥特时期 / 50

第四章 文艺复兴时期 / 90

第五章 巴洛克时期 / 120

第六章 洛可可时期 / 150

第七章 革命与帝国 / 176

第八章 20世纪 / 188

附　录 绘画工具介绍 / 226

第一章

画家究竟想做什么

我曾经误认为我有能力来解答这个问题，但是，当我试图通过大量的绘画艺术研究来给绘画艺术做出准确界定，进而解述“什么是真正的画家”和“画家究竟想做什么”等疑问时，每每备感棘手。

我最初的想法是，作为创作者，画家试图通过绘画的渠道与他人达成思想、精神方面的沟通，用画家自己的解释就是“借助视觉向人们讲述故事”。但是，尽管它阐述了某种方式的绘画艺术，却遭到了所有真正的艺术家的强烈质疑，例如：艾米姨妈客厅墙壁上的精致却令人伤感的圣诞增刊画，由一只猫陪伴正在祈祷的小女孩等此类甜蜜而虚幻的故事；或者虔诚的老人圣伯纳德从雪地里挖出一个少女的奇闻。这种表述经常容易引起人们

女孩与猫

油画　巴尔塔斯　1937年　88cm×78cm

晦暗的房间中，一个充满青春气息的少女坐在长凳上，旁边安静地趴着一只虎皮猫。单从画面内容元素来看，意象似乎极其简单，但其中却潜藏着画家的些许暗示。画面中左侧唯一的光线径直落在人物两腿之间，以及人物毫无顾忌的肢体语言、成熟而又略带飘移的眼神都在告诉人们青春期为情欲困顿的女子撩人的特质；猫的出现不仅使画面结构获得了平衡，而且也暗示了女孩的高调、任性与占有欲。以擅长色情暗示著称的巴尔塔斯的作品多为年轻女性日常生活中的各种姿态，这幅画向人们展示了女子青春期向成熟期过渡时所特有的性的萌动。

对绘画错误的猜解。

正因为如此，即便能正确说明不同艺术家的个性特征，我仍决定摒弃这种易引发误解的表述。艺术家们习惯于以自身独有的方式将其所见所闻表达给其他人。宛如一处风景，或者朴实或者突兀嶙峋，它带给画家的感触会被后者如实地描绘下来。它，是什么并不重要，画室中的美丽与丑陋只是相对而言，只要它能够触动画家的灵感，促使他拾起画笔或排刷就足够了，余下的问题则是评论家或观赏者需要考虑的事情。对于画家来说，绘画创作一旦完成，其工作即宣告结束。

音乐家会通过旋律将其感触传达给人们。

诗人会通过诗句将其感触传达给人们。

而一位画家，则必然需要运用最能突显其独特天赋的载体——色彩和线条。这就是“画家为什么绘画”这一问题的最终答案。绘画创作是他们感触传达的需求。也正是这种所谓的“需求”得以孕育出精湛的艺术。

如果人们能稍加关注这些简单的事实，就会发现它是一条奇妙的线索，将绘画艺术与

第一号

油画 杰克逊·波洛克 1948年 172.7cm×264.2cm 美国纽约现代艺术博物馆收藏

整幅画繁复纷乱却极富韵律的色彩与线条冲击着人们的视觉感官，艺术家以棍棒或刀具沾染上颜料，滴在展开的画布之上，并在创作过程中围绕着画布不停地行走，从而赋予了绘画独特的空间与悦动之美。这种绘画方式完全摒弃了传统绘画的观念，美国抽象派艺术家波洛克更是以这种极端激进的创作手法将其自由、澎湃的激情通过色彩与线条肆意发挥。

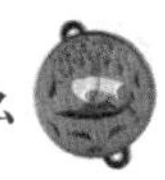

落基山脉

油画 阿尔伯特·比兹塔特 1863年 180cm×306cm 美国纽约大都会艺术博物馆收藏

在生机勃勃的约塞米蒂溪谷极目而望，巍峨壮丽的落基山脉高耸入云。随着美国大工业浪潮势头的迅猛而来，曾经安逸静谧的森林与广袤开阔的土地都面临着工业化所带来的铁路、机器的威胁，人们向往自由与自然，对急速发展的社会充满了美好的向往与未知的惶恐。擅长创作充满罗曼蒂克情调荒原景致的比兹塔特，运用极尽细腻的手法将大自然的壮阔雄浑展现在人们面前，流露出当时人们对原始自然的渴望与对既往生活的怀念之情。

个体的神奇体验对接起来。我们在欣赏一幅画作时，应该先问问自己："画家想传达给我什么？"然后，再结合画家所处的时代，脱离自我与现实的立场去观赏和思考。因为不难想象，1938年、1438年和公元前638年之间会存在着巨大的差别。人们可以尝试着以画家的视角去观察他所处的世界，他和他的作品是否是真实的……如果答案是肯定的，你可以不喜欢他，但至少要尊重他。这个世界人口众多，人们的品位差别甚大，但是每个人都希望从他人那里获得更多的尊重。艺术更是如此，尊重常常会引发长期、深远的影响，虽然我们无法搞清将来会有怎样的影响，但是记录真实生活的点滴感悟，也可能成为略显沉闷的博物馆增添充满无限魅力的艺术瑰宝。

简要回顾一下艺术的发端，能更有益于大家理解我的真正意图。

让我们看一看那些现存于世的最古老的绘画吧！近些年的大量复制，让今天的人们几乎可以在任何地方都能轻易看到它们。虽然其确切的创作时间多已无法考证，但据我推测，应该在冰川时期后的某一时间。那时，随着天气转暖，欧洲的雪线逐步北移，欧洲南部已经成为适宜人类居住的乐土。

度过冰川时期的人类仍然处于其发展阶段的原始状态。所谓的建筑师们鲜能肩负构建整幢房屋的重任，勉强只能称作制作个人饰品的艺术从业者。少数以游牧为主的部族只能在空旷的田野中临时安置他们的住所。而在法国南部和西班牙北部的山区，穿岩透壁的冰雪消融后，在山石岩壁中形成了山洞，居住在这里的人类就相对幸运得多。当他们住下来，将日常起居纳入正轨后，少数部落成员就开始试图通过岩壁上的绘画来表达他们的愿望与想法。

今天，对于我们这些连真正的野生动物都难得一见的现代人来说，那些远古绘画十分奇妙，我们很难理解其中的奇妙之处，或许是因为我们本身的错误。野生动物是远古人生活中不可忽视的一部分，它们既是时刻威胁人类生存的敌人，也是人类食物与骨制工具的重要来源。因此，远古人对野生动物的熟悉程度远远超出了我们的想象。

一万年前的野生动物被大量绘制在远古的壁画中，那些石器时代的远古人类，我们心目中的野人，用这些绘画告诉我们，他们才是最具有敏锐观察力与超群绘画才能的、最优

受伤的野牛

洞窟岩画 公元前15000—公元前10000年 法国多耳多涅的拉斯科洞窟遗址

一头被激怒的野牛鬃毛倒立，在遭受到开膛破肚的重伤之下仍然凭借其健壮的身体与锋利的牛角试图向人类发起最后、也最致命的一击。牛角所指的方向，一个原始人被这突如其来的状况吓得身体僵直，手中简陋的狩猎工具掉落在地，而岩画左下侧的鸟形图案更像是一种图腾或标志。整幅画面中的具体含义我们可能永远也无从得知，但史前人类对野生动物细致入微的观察与对当时情形的生动描绘仍让现代人惊叹不已。

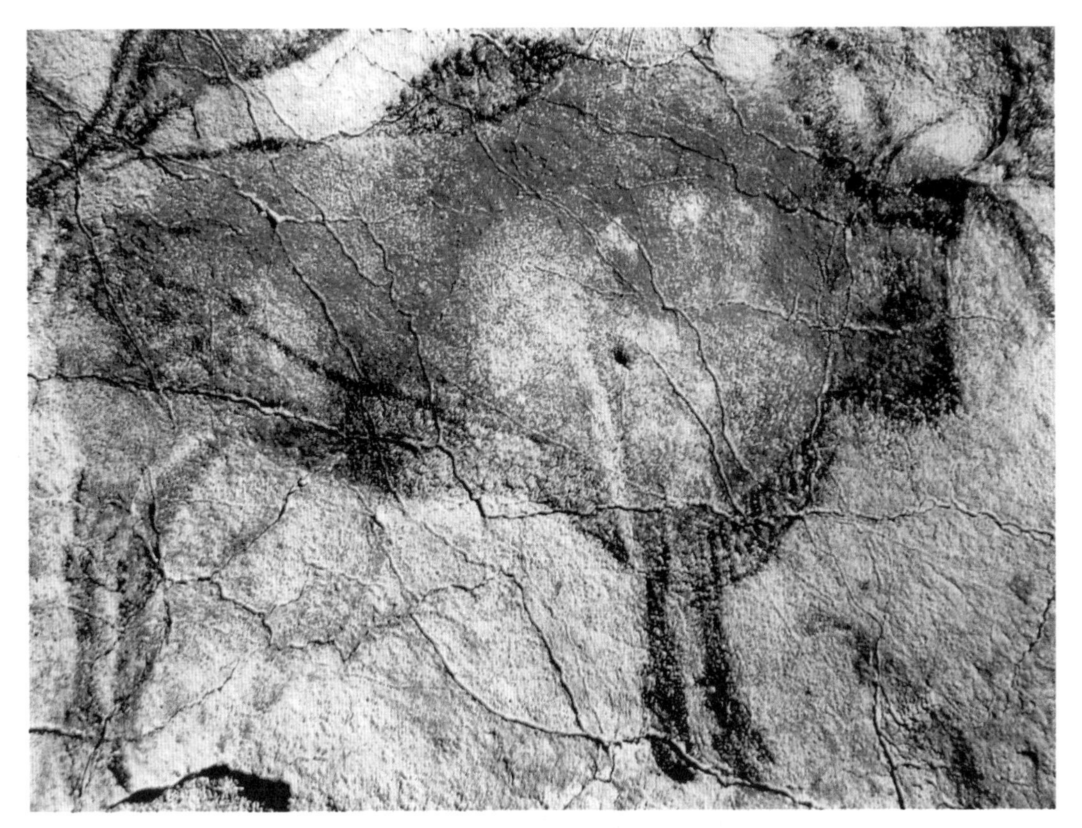

野牛

洞窟岩画 公元前15000—公元前12000年 西班牙北部桑坦德的阿尔塔米拉洞穴

这幅绘制于洞穴内一条狭长通道顶壁上的图案只是整个岩画的一部分，图中壮硕的成年野牛安然地伫立在成群结队奔跑、追逐的野兽——野猪、野山羊、野马、猛犸等之中。这头野牛外形粗犷，主色调呈赭红、黑色，辅以少量的黄色，浓重的色彩突显出强烈的写实风格。史前艺术家们以天然矿石或木炭研磨成粉后与动物油脂、血液调和制成颜料，绘制在凹凸不平的岩壁上的图案历久弥新、栩栩如生。

秀的绘画大师。远古人如何练就这般本领我们难以了解，但他们留下的画作却应该引起我们足够的重视。这些生活在贫穷、寒冷中的野人，向我们展示了构建美好艺术的真谛：抽象与简洁。

没有人能给出洞穴艺术衰落的具体时间，但当它再次出现在我们面前时，却是完全不同于寒冷荒野的画面，它将我们带入了温暖、肥沃的尼罗河流域。远古人的生活以狩猎为主，他们在充满危险的荒野中过着颠沛流离的生活，敏锐的观察力是他们维系安全和狩猎成功与否的关键。与此相反，埃及人与居住在幼发拉底河和底格里斯河流域的人们一样，如同任劳任怨的农夫，他们在尼罗河冲积平原上出生、耕种、繁衍、死亡，生生不息，宛若深埋在沙漠中的木乃伊一样千古不朽。

古埃及人生活在一个极权主义的国度，几乎没有什么个人、个性可言。他们的建筑除了茅草屋以外，风格极其相似。同一类型的寺庙、国王或王后的坟墓，相似的纪念碑，这些量产的官方艺术就是古埃及人所谓的艺术。但是，古埃及的雕刻家、画家向人们展示的

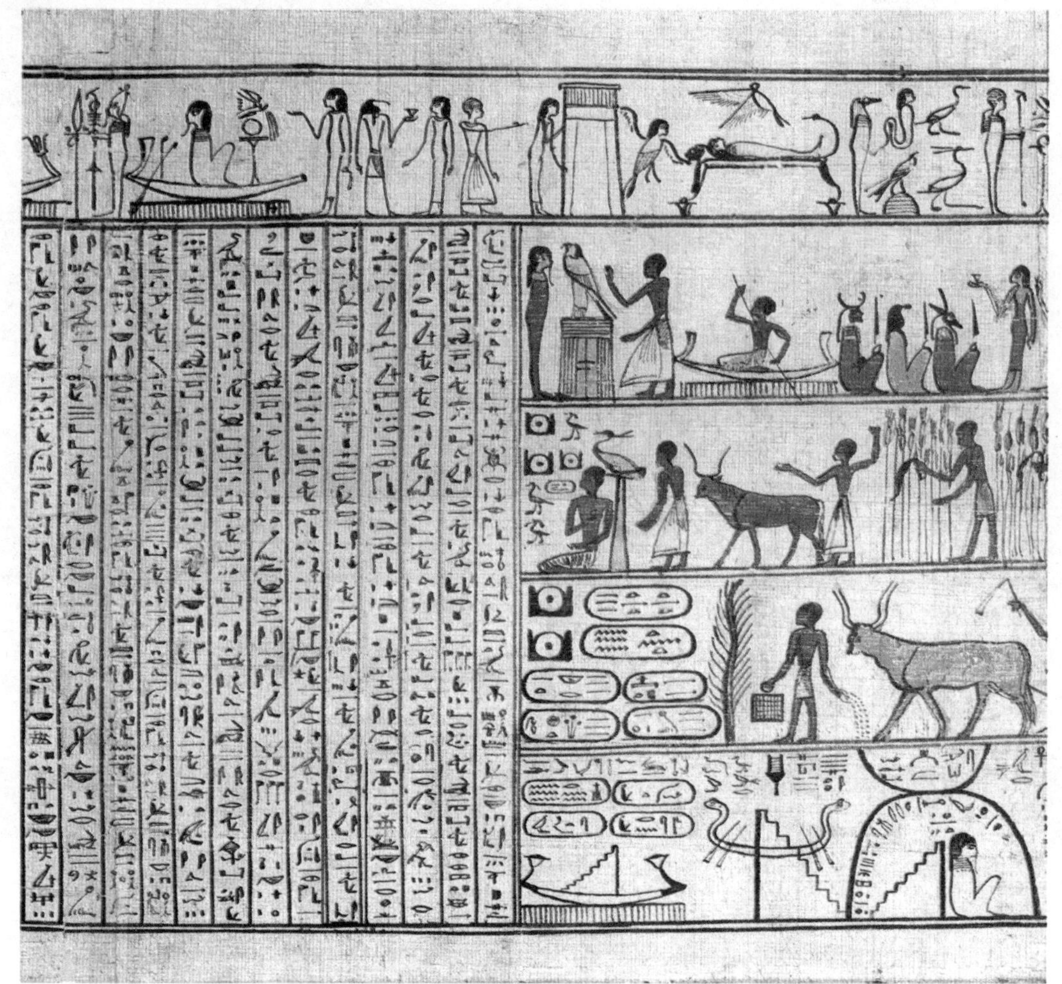

亡灵书节选

约公元前1400年

《亡灵书》是古埃及人放置在墓地死者身边的一种符箓，上面所记录或描绘的文字、绘画涉及大量的赞美诗、咒语等，以期能帮助亡灵顺利地抵达来世幸福的彼岸。肥沃平缓的尼罗河冲积平原赋予了古代埃及人相对稳定、安逸的生活，他们同世界上其他地区的人们一样笃信冥冥之中有神灵的存在，他们生时勤劳不息，死后期望在神灵的引导下转世重生，为确保死者的心脏与其共存，书中记录着这样一段文字："我的心脏在我的心房里，那是我的休憩之处。"

人物或动物作品中，同样有着原始人所具有的敏锐的艺术洞察力。一切历史印迹都表明，古埃及的艺术家能熟练地表达他们想要表达的主题。在具体研究其绘画作品时，人们不难发现古埃及人对透视技巧的欠缺完全不影响人们对其作品的欣赏。中国与日本的绘画作品同样也欠缺西方成熟的透视画法，但它们仍能让人回味无穷。

从细节上看，古埃及艺术有着大量区别于现代人的观察、处理方式，古埃及、古巴比伦和亚洲西部地区的艺术家们还不曾掌握描绘人类面部表情的技法。但是显然他们都曾试

乐舞

欢乐、喜庆的气氛四处弥漫，壁画中身姿曼妙的乐师和舞者打着拍子、演奏着乐曲，由左至右乐师们所用的乐器分别是竖琴、诗琴、双簧管和里拉琴，人们在轻快的韵律和节奏中仿佛获得了鲜活的生命一般，让旁观者不禁沉浸其间。古埃及艺术家们对透视画法技巧的欠缺完全不会影响人们对其作品的欣赏和痴迷，敏锐的艺术洞察力让他们能如此精准、清晰地抓住人物局部的细节和特征。

图努力过，借助身体的动作描绘与肢体语言细节来弥补这种缺陷，让即使是几千年后的我们仍能清晰地感受到他们想要表达的惊恐、喜悦和忧虑之情。

由于动物更多地借助身体动作来表现情绪，所以描绘没有表情的动物远比描绘人要容易得多。因此，远古的艺术家们更擅长于运用突出身体动作来准确、生动地刻画动物。

挤奶

图中描述的是古代埃及人饲养奶牛并获得牛奶的情形，农夫正半跪在健壮的奶牛腹下往准备好的罐子中挤奶，右下角一头待哺的小牛犊被拴在母牛腿上。尽管古代埃及艺术家对透视法和表情的表达仍有不足，显得缺乏立体感、表情机械，但不难看出他们也试图通过其他方式来弥补这一缺憾，如以凹凸的刻痕来突显奶牛体态和肌肉特质，人们甚至可以从奶牛面部的泪滴体会到母牛对无法哺育小牛感到痛苦和不安。

战斗

约公元前600年

这幅绘制于无釉赤陶花瓶表面的绘画向人们描述了希腊战场上步兵近身肉搏的场面。左侧的士兵身体微微前倾，左手以巨大的圆盾护住身侧，右手的尖矛平举，摆出一副准备攻击的架势。他脚下一个受伤的步兵躺在地上奄奄一息，盾牌盖在身体上，鲜血从腿侧流出。右侧两个敌方的步兵也持盾挺矛正欲抢上，惨烈的厮杀一触即发。希腊人延续了埃及人的绘画风格，战争成为天性好斗的他们最引以为傲的主题。

对于尼罗河人的绘画艺术，我无法提供更多的细节，也许只有极少数的鉴赏家才会对此有着更深入的了解。但是，只有关注尼罗河流域艺术的人，才能对后来所发生的一切有着深刻的理解。埃及人教会了希腊人关于艺术的鉴赏，而希腊人又将有关艺术的一切教给

木马屠城

约公元前7世纪

图中再现了希腊神话中一场史无前例的奇谋夺城战，围绕画面主体巨大的木马，几个头戴羽毛战盔的特洛伊战士面露胜利的微笑，丧失了应有的防备，却没有发现木马上窗口后暗藏着神采奕奕的希腊士兵。在这场传说中旷日持久的战争中，希腊联军先是佯装退却，再与藏身木马混入城中的奇兵里应外合，夺得了九年牢不可破的特洛伊城。粗犷的线条彰显着希腊人对艺术的理解以及对史诗传说的得意和自豪。

了我们。很久之前，我们的祖先就明白这一点：希腊人是极具天分的，从女神雅典娜到宙斯，希腊人如同希腊诸神一般卓越超凡。

人的生活有其发生、发展的根源，艺术也是如此，完全脱离生活的、纯粹的艺术是不存在的。虽然有一些艺术奇才看似与这一原则截然相反，但倘若我们寻根究源地挖掘他们作品中的思想根源，仍然可以发现真实生活的影子。一度失传了的克里特及其他岛屿的文明直到50年前才被人们重新认识，它连接着亚、非、欧三大洲的文明。埃及人的艺术从尼罗河流域传播至希腊半岛，并在那里传承了一千余年，之后才传到了北欧。直到现在，我们才恍然大悟，希腊艺术只不过是3000年前埃及艺术的延续。

很多时候绘画是一种用于装饰内部空间和建筑外部的艺术。希腊和罗马处于气候温和的地区，得天独厚的气候条件使当地人以室外活动为主，多是在大街或市场上逗留、活

荷马行吟图

勒卢瓦尔

明媚的阳光下，远处肃穆庄严的神庙与市镇仿佛笼罩在一种祥和的光辉之中，古希腊人围坐在室外的树荫下，聚精会神地聆听盲诗人荷马所作的壮阔诗篇。荷马是古希腊著名的诗人，相传他每日携带着七弦琴行走在热闹的市镇之中，为人们吟唱英雄的事迹和赞歌。从图中人们不难发现，古希腊人的日常生活环境和习惯确实不适合绘画艺术的发展，而户外的建筑、雕刻艺术却从中受益颇多。

狄俄尼索斯渡海

埃克塞基亚斯 约公元前540年

这幅绘画绘制在一古希腊时期的双柄酒杯内壁上，酒神狄俄尼索斯驾着他的小舟航行在海面上，洁白的帆寓意着他的善良无邪，桅杆上缠绕着伸向天空的葡萄藤寓意着他的酒神身份，嬉戏的海豚与海豚形的船体相映成趣，整幅画面的布局和谐，线条精致流畅。狄俄尼索斯是希腊神话中的草木与丰产之神，他是主神宙斯的儿子，善良、忠诚、英俊，他在四处游历时发现了葡萄酒的酿造工艺，并致力于推广传播。

动。对于他们来说，房屋仅仅是用来睡觉、吃饭、劳作、保护妻儿不受伤害的特定场所，人们很少待在家中，甚至连房屋的构造也是极为简单。因此，我常常怀疑希腊人对绘画的重视程度，他们不会将绘画置于一个崇高的地位。

大量的奴隶为雅典人和罗马人提供了资本与劳动力，进而使其获得了投身政治、宗教节日游行、戏剧表演和体育竞技等户外活动所需的充足的闲暇时光。议员集会的场所多在长满青草的山坡上，而绝不会在描绘着辉煌的壁画和挂满已故市长及议员照片的豪华大厅里举行。人们在日常生活中对绘画的需求不大，故而画家的地位与建筑师和雕刻家比起来相形见绌。建筑师和雕刻家的作品满足了人们对艺术的基本需求，故而深受认可和欢迎。即便如此，我们仍不能得出希腊人对色彩不重视的结论。相反，从荷马时代和希腊神话时代开始，希腊人就非常喜欢用艳丽的色彩为国王或其他统治者制作充满爱国热情的雕像。今天希腊的大理石雕像以其特有的凝重简朴的高贵气质吸引着人们的目光，其实这些雕像上都曾经涂过红、蓝、黄、绿等光鲜艳丽的色彩。

希腊画家对绘画原理、色彩处理的理解虽然自成一派，却难以迎合现代人的品位。正如我们现今文化的主流是玻璃和金属一样，希腊文化基本上算是陶器文化。复杂的画面设计得益于深厚的绘画基础，陶器迷人的魅力得益于高超的制陶技术，这些充足的资本促使陶器在古代得以广泛流行。此外，这些设计能力超群的艺术家还要经常被理所当然地安排以奴隶之身参加各种致命的角斗。正如今天一样，尽管那些装西红柿、豌豆汤、烘烤豆制品的听装罐头标签都是由鲜为人知的艺术家设计的，但人们却习以为常。

拉奥孔

雕塑 阿格桑德罗斯等 公元前1世纪 现藏于罗马梵蒂冈美术馆

整个雕塑表现的是特洛伊祭祀和预言家拉奥孔触怒了雅典娜与诸神毁灭特洛伊的意志，致使他和他的两个儿子被雅典娜派遣的两条巨蛇勒死的场景。拉奥孔是希腊传说中特洛伊的英雄，相传他看穿了希腊联军的木马计，试图警告和阻止特洛伊人将希腊人“遗弃”在海滩的木马当作战利品拖进城内，但并未受到人们的重视，以致特洛伊城最终陷落。静穆、典雅是希腊雕塑给人最大的感受，这件极具视觉冲击力的雕塑被推崇为世界上最完美的作品，意大利著名雕塑家米开朗琪罗称其为“独一无二的艺术奇迹”。

基督

图中的各部分错落有致，最上面的部分是基督在天使的簇拥中为世人祈祷，雕刻师用基督背后的光圈来暗示其无与伦比的权威，“光圈”一词在希腊文中是“圆盘”的意思；图的中部主体突显的是罗马皇帝的形象，驾着骏马，手持权杖，左边有服侍的将军手托着战利品；最下方是大地上臣服的人们和野兽，正向皇帝进贡或致敬。值得关注的是此时的基督形象年轻而没有胡须，且相貌平平。

在古希腊和古罗马时期，精通壁画绘制的大师和绝妙陶器图案的设计者同样得不到应有的重视。希腊和罗马上流阶层在庭院中绘制的壁画更多是为了取悦妻子和孩子，而家中的男主人大多对此漠不关心。因此希腊绘画历史上除了少数珍品外均有着某种“幼稚”的意味，即便能给人以愉悦之感，也难以引发人们更多的兴趣与关注。这一点在参观庞贝古城和赫尔克里纽姆两座城市遗址时，会更容易观察到。古希腊为古代文化发展做出了巨大的贡献，然而古希腊人对待绘画艺术就如同对待一个领养的孩子，即便是善待它，偶尔关注它，给予轻抚，却永远不会把它当作自己的孩子。

值得注意的是，早期的基督教绘画对艺术史做出了极其特殊的贡献。也许有人认为，原本就不存在所谓的“早期基督教绘画”。也许，我们可以称之为“后期异教徒绘画”。只因早期身份卑微的基督教信仰者皆属于奴隶阶层，他们没有能力发展属于自己的艺术形式。在随后而来的建设与发展中，出于安全的考虑，他们选在罗马周围废弃的采石场内举行会议，一些循规蹈矩的老异教徒画家受雇肩负起了装饰地下通道的重任。而这些深受古

罗马传统文化熏陶的老技工们仍然沿袭着旧有的套路，画着万年不变的异教神形象，不同的只不过是赋予其崭新的名字。

这样就造就了公元5世纪以前，基督一直以一位没有胡须的年轻人形象示人的奇怪现象——有时是赫尔墨斯或者俄尔浦斯的装束，有时是太阳神阿波罗的形象，头部罩着一个远古时代象征太阳的圆盘。“光圈”一词在希腊文中是“圆盘”的意思。

公元5世纪中叶以后，君士坦丁堡取代了罗马成为世界的中心。从此以后，习惯于将胡子刮得干干净净的罗马统治者被下巴上蓄满胡须的帝王和官员所取代。基督的形象也随之变化，留起了长胡须，没有胡须的基督恐怕很难让人们认出了。在东正教信仰者的眼中，如果将基督绘成没有胡须的形象，无异于可怕的异端，基督的这种形象在其看来更像是奴隶或者演员。

同理，想象不出圣母玛利亚外貌的早期基督教信仰者也就只能以帝王的妻子为模板进行复制。于是，圣母玛利亚在中世纪早期的绘画中，常被

主宰万物的基督

镶嵌画 约1190年

巨大的基督镶嵌画安置在圣坛上半圆形的壁龛之中，他下方是怀抱着圣婴端坐在宝座上的圣母玛利亚以及两侧众多的天使与圣徒。肃穆的气氛、金色的背景让整个圣坛显得分外庄严、高贵，长发、蓄须的基督高高在上，缓缓展开双臂仿佛要拥抱他的子民，安详的脸庞、挺直的鼻子、浓黑的眉毛、坚定的目光——给人一种神圣之美，高度的落差与空间感更让世人感到自己是如此渺小。

肩负羊羔的少年

雕像

这尊银质雕像刻画了一个年轻牧羊人的形象，浓密的卷发、健壮的体魄，艺术家心思细密地运用背后行囊中肩负的羊羔和胸前的水罐获得了良好的平衡，线条圆润、流畅，衣衫下摆的褶皱更是极其真实地还原了真实的效果。赫尔墨斯是宙斯之子，古希腊神话中商贾、行人的庇护者，远古时期的畜牧之神，常以背负羊羔或手持钱袋的形象出现。

绘成帝王庭院中众多仆人簇拥下身着盛装的伟大而贤惠的女性形象。

这些是用来说明众多艺术形式中，传统脱离原本意义后如何长时间存在的绝好例证。希腊人和罗马人数千年来始终认为黑暗和忧郁的冥河是通往未来的必经之路。而基督教艺术则告诉人们：在墓地中接受祈祷的灵魂怎样穿越黑暗、阴郁以及充满怪兽的海洋，最终步入永恒。

可以证明传统具有令人难以置信的生命力的例子还有很多。如在公元5世纪甚至更晚一些的时间里，耶稣被钉死在十字架上的主题在中世纪基督教艺术中占据着重要的地位，但人们却根本无法找到此类题材的绘画。即使过去了五六代人的时间，基督教信仰者在提及救世主时仍愿意将其与赫尔墨斯联系起来。作为一个善良的牧羊人，赫尔墨斯在异教徒时代深受人们的崇拜。城里英俊的年轻人常常在节日里肩扛着一只小羊羔围着城墙走一圈，以祈求来年的幸运。这样一位相貌高贵的年轻人如果像凡人一样死去，是让人们难以接受的，于是这位善良的牧羊人自然就被认为是可以复活的基督。

再者，即便是将地球搞得乌烟瘴气，作为先知以利亚登天神话的工具——遮阳四轮马车仍然是希腊神话和现实生活中人们最重要的代步工具。直到最后一批顽固而守旧的异教徒从这个不再充满魅力和欢乐的世界消失，古老的异教徒的绘画形式才会在纯粹的基督教艺术确立之后渐渐消亡。

陈旧的绘画形式的衰落也预示着新的表现形式的诞生。镶嵌艺术适时出现了。镶嵌艺术是指人们借助涂上白、蓝、绿和金黄等色彩的大理石或玻璃块集结、镶嵌成画的一种绘画艺术形式。如今优秀的镶嵌画已难觅其踪，即便是为数不多的几家意大利作坊拥有这类技术，也已是难以招揽生意，入不敷出。直接镶嵌到建筑物墙壁上的镶嵌画是整个建筑物难以分割的一部分，无法随身携带，这是其与普通绘画最大的差别之处。虽

夏日水畔

镶嵌画

夏日清爽的水畔花园，人们坐在巨大的藤编幕顶之下谈笑风生，藤顶上爬满绿色植物密实的叶子，上面结满了应时的果实，清澈的水面上莲花盛开，采莲人驾着小舟穿行其间。镶嵌画是用有色石子、陶片、珐琅、玻璃等镶嵌在建筑物墙壁、地面或天花板上的图画艺术，起源于古老的东方，在希腊、罗马盛行一时。细密的碎片拼接成的图画精致、奢华，不同颜色的运用与搭配更能彰显艺术家的深厚功底。

然墙体也可以运输，以前也有人从小亚细亚、希腊将整座神庙搬运至欧美，但相信今天不会有哪个国家会允许以这种方式掠夺建筑物了。

因此，人们必须前往一些较为偏远的地方才能看到那些真正优秀的镶嵌画，如拉文纳（亚得里亚海上的一座可怕的村庄，也被人看作5世纪时的纽约）或威尼斯。除了在罗马几座古老的教堂以及意大利一些少数城市还能看到镶嵌画以外，人们还可以在君士坦丁堡的圣索菲亚大教堂寻觅它们的踪迹。

镶嵌画是中世纪绘画技巧得以延续的重要途径，尽管它不是美国文化中的重要艺术形式，但每个人仍有必要了解它的真实情况。现在，我们终于找出一种用来表述艺术的语言，在临近历史脉络清晰的时代，我们将结束对古代艺术的探讨，重新回到真正需要讨论的主线上来。

幸福的庭园

约公元前1300年

古埃及人采用尼罗河两岸的纸莎草制成的纸书写文字和绘画，他们从天然矿石中提取的颜料经久不褪色，黑、黄、红、白、蓝、绿等色彩都能较好保持最初的样子。这幅画描绘了生活相对富足的埃及人和妻子在自家的庭院中向奥西里斯神致敬的场景。整幅画简洁、生动，建筑与庭院的描绘虽然在透视绘画技术方面略显不足，但仍能抓住事物自身的特点，以特有的方式来向人们表达真实的用意。

代表真理、正义与道德的女神玛阿特，头上的冠徽是一根鸵鸟的羽毛，用来称量人死后心脏的重量。

作为古埃及神话中掌管生殖与死后永生的神，冥王奥西里斯神全身紧紧包裹着白色的亚麻布，面部和手部涂着象征生命的绿色，手握着象征权力的连枷和弯柄权杖。他能够死而复生、保持身体与灵魂不灭。他由于强大而受人尊敬，古埃及人都向往着能像他一样在来世幸福地生活。

长方形的水池周围栽种着棕榈树、无花果树等青翠的树木，树上结满了果实。

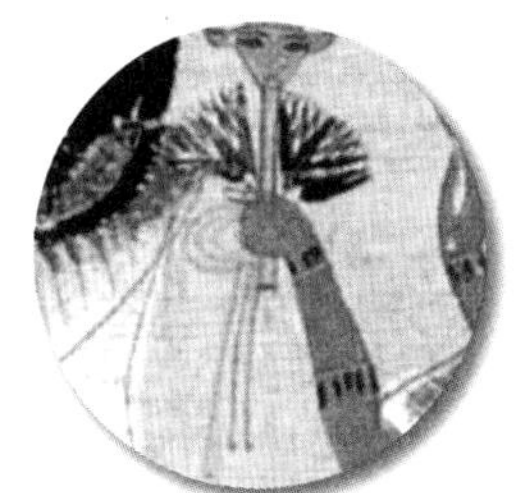

妻子手持着象征回春的莲花，多用来帮助生者醒脑，抚慰亡者。

白色的房屋外壁可反射过于强烈的阳光，屋顶设有通风口以保持空气流通，高高的窗户不但有防尘的功效，还可以避免外人的窥探。

对于地处炎热干燥地区的埃及人来说，水与绿色植物组成的绿洲是他们向往的最佳安居场所。

富足的古埃及人住所有着高出地面许多的地基，用来防止遭受水灾和潮气的侵袭。

清澈的池水在微风中荡起层层波浪，水池四周树木的布局完全是以水池为中心的多个角度观察所得，而中间的水池则是从水池正上方空中观察的印象，虽然有失立体效果，但对花园中的树木、水池的描绘仍不失细致、严谨。

利维亚的庭院

壁画 公元1世纪后期

性情奔放的意大利人渴望拥有自然与高贵，艺术家们不断地运用颠覆性的思维方式，试图从原有艺术的规则和限制中挣脱出来，创造出属于他们的、具有独特之美的艺术形式。在罗马皇帝奥古斯都的妻子利维亚的夏日庭院的墙壁上，人们发现了这幅极富时空转换魔力的壁画，薄雾弥漫的花园中栽种着郁郁葱葱的树木，娇艳的鲜花、累累果实和轻灵的鸟禽间杂其中，空间透视所呈现的视觉效果让人沉浸在似真似假、如梦如幻的庭院之中，流连忘返。

艺术家运用写实的手法将薄雾中隐现的远景与视线范围内清晰的近景巧妙地融合在一起，错落有致的各种元素在有限的墙壁上拓展出更为广阔的视觉空间。这种写实的特征也成为后来欧洲绘画艺术写实主义风格兴起的重要基石。

视线中近处低矮的栅栏将幻觉世界与真实世界混淆在一起，给人以一种如幻如真的错觉。

种植着大量的柠檬、香橙和无花果树的庭院清雅而又静谧。

银灰色的淡淡雾气将墙壁上被艺术家虚拟的空间掩盖得完美无瑕，由远及近的冷暖色调，虚实变化将空间感、层次感真实地呈现出来。

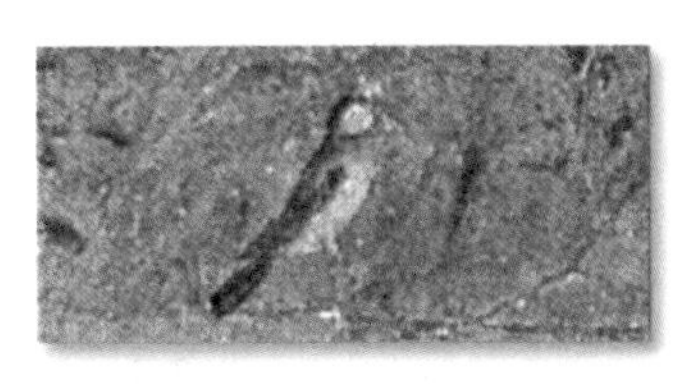

艺术家运用的湿壁画绘制技法让林木、鸟禽、果实的细部特征表现得精致而又细腻，各种不同的鸟类栩栩如生的形态、艳丽多彩的羽毛几乎可以乱真。

明亮的光线中，白色的矮墙与前面的绿地、栅栏形成了良好的透视效果，艺术家对光线效果和色彩的运用让人称道。

古罗马艺术家非常擅长和乐于以廊柱、边框等形式营造出如真如幻的艺术效果，使置身其中的人们沉浸在真实与艺术的双重美妙意境之中，忽略了原本存在着的实体墙壁。

采花少女

壁画

优雅的步履、轻舞的裙带、柔美的身姿，如果不是命运的眷顾，这幅曾经历过数千年火山灰深埋的壁画恐怕今天的人们早已无缘得见。尽管人们从画面中只能窥见少女的背影和面部轮廓，但却丝毫不能掩盖她的优雅和迷人。艺术家以其细腻的笔触向世人展示了人与自然的和谐之美。这幅传世之作被发掘于距庞贝古城五公里之外的一幢别墅的卧室中，几乎保存完好的线条和色彩让人们难以相信它竟曾经历过那场足以毁灭世间一切经典之作的大自然之怒。

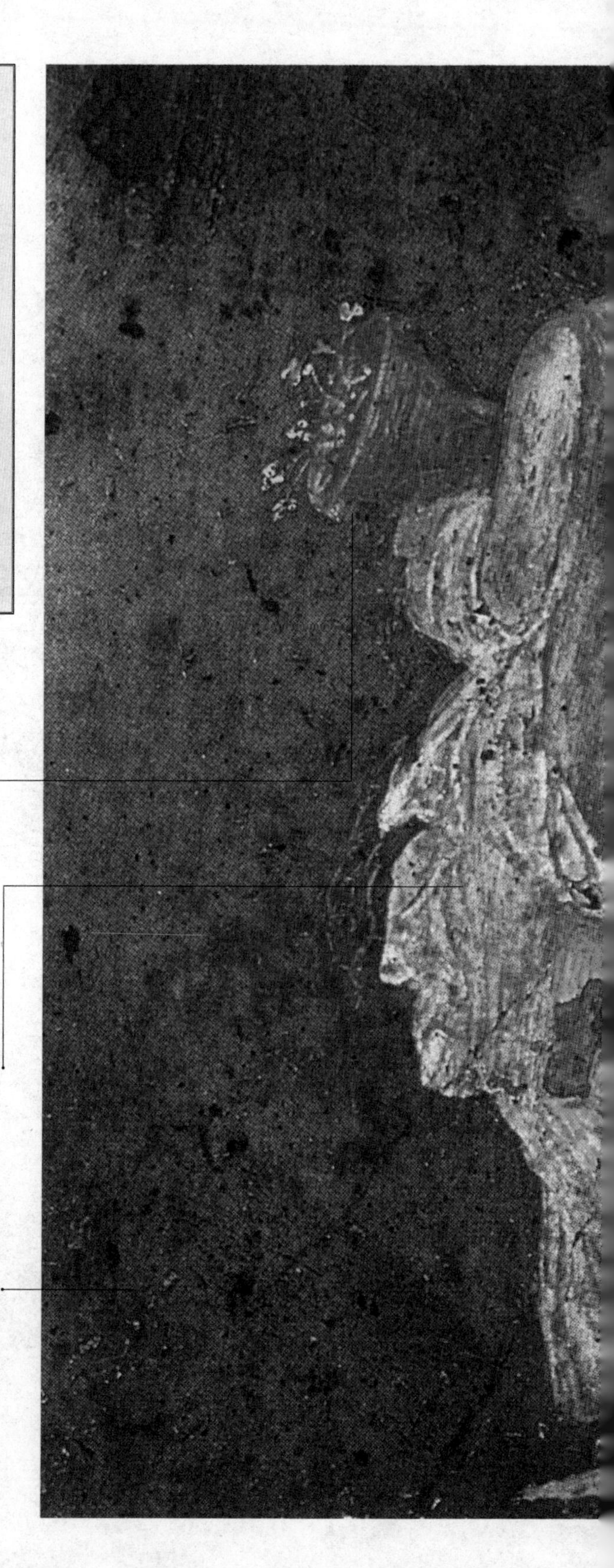

左手抱于胸前的喇叭状花篮中，花枝点点，使整体画面的重心获得了良好的视觉平衡。

光线似乎从人物的左上方照射下来，嫩黄色和白色的裙衫色调与绿色的背景、嫩绿的花枝形成鲜明的对比，冷暖色调的交替使用让少女如同沐浴在温暖的春光之中。

墙面大片绿色的背景不仅突显了少女肌肤和衣着的光线效果，还营造出一种浓郁的春天气息，花香暗动之际，素手轻盈，让人物显得圣洁而纯美。

据说图中的少女是希腊神话中掌管季节与自然秩序的时序女神。艺术家对人物姿态与肌肤的描绘颇有心得，向右微倾的面庞、丰盈的肌肤、流畅的线条在服饰与绾起的金色发髻映衬下更显白皙、光泽，透视技法的运用使人物转动的肩膀在视觉上形成右短左长的效果。

斜落至右臂臂弯处的披肩不仅表现了衣裙柔滑的质感，更彰显出人物手部动作的柔美之态。

右手的手指轻轻掐断花茎，柔美而有无限风情，人们仿佛能够听见从指尖传来清脆的声音。

人物肢体的动作轻盈而柔和，人们甚至可以感觉得到衣裙之内少女腰部的微微转动。

背后坠下的白色披纱环绕着少女，将少女臀部浑圆的线条显露无遗。

小腿处随风飘起的裙角将少女赤足缓缓抬起的动作定格在那里，柔美如真。

亚历山大镶嵌画

镶嵌画 约公元前80年 800cm×600cm 现存于意大利那不勒斯国家博物馆

这是一幅1831年从意大利庞贝古城“农牧神殿”遗址中发掘出的镶嵌画，据考证，这是一幅晚期希腊绘画风格的古罗马复制品。时光的侵蚀已使镶嵌画的局部出现脱落，但宏大、生动、精致的场面至今仍没有丝毫消减，它如实地再现了亚历山大大帝与末代波斯国王大流士三世在伊苏斯进行的那场宏大的战役。艺术家对人物、场景细节的描绘与透视缩短法的灵活运用让人对希腊绘画艺术的高超、娴熟有了更加深刻的了解。

远处烟尘中枝残叶秃的大树清晰地交代了战场的环境与整个战况的惨烈与无情。

斑驳、难以辨认的位置曾描绘着勇猛威武的亚历山大大帝及其麾下的勇士们穿戴着盔甲，持着锋利的长矛，骑着战马冲入波斯阵营。

艺术家合理地运用透视缩短法，将画面的焦点聚集于中央，其他物体的轮廓随着与焦点位置距离的拉远而变得越来越短、越来越窄。

林立的长矛与密集的人物充满着戏剧性的冲突与对立，昂贵、华丽的盔甲在生动如实再现战场激烈与混乱的同时，更有着浓烈的自豪、庆祝意味。

两军交战时纷乱的人群恰到好处地烘托了战场上的气氛，人物的表情、动作暗示着战争的结果。此战之后，落荒而逃的大流士三世从此一蹶不振，波斯也元气大伤。

调转方向的长矛暗示着战场中瞬息万变的因素左右着战局的走向，惊慌失措的波斯军队在马其顿人的勇猛冲击下阵脚大乱，一溃千里。

负伤倒地的战马

位于画面主体部位的是大流士三世，见败势几成定局，仓皇之情溢于言表，急切地催促车夫驾着战车逃离战场。

四散丢弃的长矛与利剑，慌乱中脱缰而走的战马形象生动、线条流畅，对整幅画作的意境做了极好的补充。

查士丁尼及其随从

镶嵌画 约公元526–547年 264cm×365cm 意大利拉韦纳的圣维塔尔教堂

肃穆、神圣的氛围充斥着这幅画面的每一个角落，它描绘的是查士丁尼皇帝及其随从手捧圣器向基督献祭的场景。在皇权神化的罗马帝国，艺术家用大理石、金银、珠玉、玻璃、石子拼嵌而成的镶嵌画来歌功颂德。风格独特、精美绝伦、色彩明快，是拜占庭艺术繁盛时期的产物，真实地反映了当时社会政教合一的特点。

左侧穿着白袍的大臣与将军神色庄重，持盾握枪的卫兵们神态冷漠而机警，透露出无比的忠诚与勇敢。

精美的纹饰边框中，以灿烂的金色为背景，将所有人物笼罩在一种神圣的光线之中。

画中人物的身材与正常的人体比例略有差异，修长的身材让所有人都显得异常高大，一种高傲与威严似乎让每一个欣赏这幅画的人都能感受得到。

整幅镶嵌画大量使用了白色、金色、紫色、黄色、红色、绿色，明快的色泽将粗重的人物、边际线条完全掩盖从而显得和谐许多，没有丝毫突兀之感。

青绿、淡黄色的地面与画面顶端大片的金色形成了鲜明的对比，整齐划一的“八”字步让除了皇帝之外的其他人略显得动作僵硬，鞋子的装饰细节也体现了皇帝地位的与众不同。

画面中的所有人物依次水平排列，12个人暗含着基督十二门徒之意，众人中唯有中心的查士丁尼大帝身材略高于其他人，可以看出其地位的崇高。

大臣、将军、卫兵与大主教、助祭服饰的主色调均取自查士丁尼大帝身上色调中的一种，如众星捧月般将高贵的皇帝衬托得分外神采奕奕。

站立于正中心的查士丁尼大帝头上戴着镶满五彩珠玉的帽子，身着紫红色的长袍（紫色为皇权的象征），手捧盛圣水的圣器，目光坚毅威严，淡淡的笑容充满着自信，其头部金色的光环暗示着神圣、至高无上的权力，仿佛耶稣的化身让温暖与仁慈普照着大地。

右侧是身穿白袍、黄色披肩的大主教马克西米尔，他神色郑重，平收的右手持着镶嵌着宝石的十字架放在胸口；身后右侧是两名助祭者一位捧着装饰精美的《圣经》，一位提灯引路。

第二章

罗马时期

在古代世界的废墟上，一种崭新的、有着旺盛生命力的文明正在缓缓诞生，建筑艺术重归艺术的历史舞台。然而，当时社会对绘画作品需求太少，致使画家仍落后于时代。

以今天的眼光来看，艺术家就如同一个精力充沛的小伙子，他将自己在不同地点、不同时间看见的或自认为看到的事物统统付诸笔端。正如我们自己所感受的那样，这类绘画作品可能会受到人们的青睐，也可能受到人们的冷落。但画家以自由的心灵支配自己的画笔作画，即便人们不喜欢，他们只会自认倒霉，绝不会因此而影响睡眠，也不会有衣食之忧。自由的画家从不在乎艺术大师的名声，只追随自己崇尚的艺术良心作画就足够了。

奈奥夫妇

壁画 约公元1世纪 58cm × 52cm

这是意大利庞贝城内一座尚未完工的房子墙壁上的一幅绘画，后人也称之为《面包师夫妇》。画面中美丽大方的女子左手将写字用的蜡板持在胸前，右手捏着的铁笔贴住下颚，眼睛炯炯有神，眼神却有些游离于画面之外；男子右手持着草纸书卷顶住下颚若有所思，一副略显腼腆的样子。尽管两个人靠得很近，但显然有些貌合神离，手持的物件暗示着他们对知识的热爱。后经证实，当时庞贝城中的平民多数识字。

奥尼索斯秘仪

壁画 公元前70年 高331cm 现存意大利罗马庞贝城

这是一系列充满着禁忌之景的壁画的一部分，画面中描绘的是古罗马人在酒神节祭祀奥尼索斯的秘密宗教团体的仪式，整个仪式完全模拟酒神由死至生的全过程。该仪式起源于古埃及的阿比多斯受难剧，人们在酒神节所表现出的充满原始野性与欲望的狂欢是对神学禁欲观念的挑战，后被罗马元老院于公元前186年下令废止。这些壁画有着明显的希腊艺术的影子，人物的线条和浓淡色彩充分勾勒出图中女子体态的丰盈与优美，宗教的压制让这些绝世之作只能藏迹于晦暗的地下室，直到现代才得以从火山的灰烬中重见天日。

然而，出生于希腊文化和罗马文化衰落之后的画家，远远没有他们的现代同行那么幸运。首先，他们没有创作的绝对自由。公元325年，基督教在尼西亚举办的首届联合大会中，就确立了这样一条规则：“画家不得随意选择创作主题，必须遵照传统和教会的法规。”

在那个时代，即便是画家拥有了选择创作主题的绝对自由，绘制成的作品也常常会面临乏人问津的尴尬境地，失去了购买者的需求，这些作品也就面临着无人愿意把它们当作礼物收下的问题。因而，如果想更加透彻地了解中世纪早期的画家，就一定不能局限在绘画的范围内，要多从他们所处的时代入手。

在那个时代，旧有的文明秩序已经开始消亡。昔日的城市在野蛮部族经年累月地冲击、践踏下处于毁灭的边缘。习惯于在广阔原野中生活的游牧民族憎恶城市生活，就如300年前的印第安人憎恶在加拿大和新英格兰野外圈起的围墙一般。道路因为没有人保养而荒废，桥梁也因为没有人维修而垮塌。有着“国际警察”之称的罗马军队离开以后，海盗群起，并成为海洋的霸主。欧洲南部的人口在饥饿、疾病、绝望的折磨下大幅度减少，即

图拉真纪念柱

浮雕 公元113年 高43米

罗马皇帝图拉真为炫耀自己远征西亚大获全胜而建起图拉真纪念柱，柱体的表面以叙事手法讲述了整个战役的过程，人物雕像栩栩如生。图中表现的是战败的西亚人正无奈地逃离被罗马军队焚毁的城镇，他们仓皇的神情与不住回头看的肢体语言惟妙惟肖。人物刻画层次分明，这种三维立体的艺术表现手法成为16世纪文艺复兴时期艺术家们平面艺术的重要参照，影响颇深。

便是如同今天伦敦、巴黎一般的大都市也难逃衰落的厄运，仅有极少数人可以勉强维持生活。其中罗马城的人口竟然从原来的一百多万骤减至不足两万。

在法国南部的少数城市，全城的居民挤在一个破旧的马戏竞技场中。不难想象，假如剑桥和马萨诸塞州的居民不得不在哈佛露天体育场中避难，或者纽黑文的居民为避难在耶鲁剧场挤作一团，将会是什么样的情形。城市遭到毁灭性的打击，身负才学的艺术家们更是难寻一块落脚之地。那些曾经如同匪徒一般的欧洲新主人，为了将旧帝国的遗产据为己有而不惜发动战争，更不会顾及所谓的艺术。于是，包括画家在内的众多艺术从业者只有挨到局势好转，新文化形式完全取代旧文化形式之后才能重新投入创作。

待到五六世纪时，教会的势力初露锋芒，艺术家在其关照下偶尔可以获得创作的机

圣母子

约公元6世纪 68cm×48cm

随着战争的纷起，人们对内心慰藉和庇护的需求让教会势力初露锋芒。在修道士的授意下，艺术家笔下的宗教人物如圣母、圣子、圣徒都显得格外的神圣和静穆。画面中端坐在宝座上的圣母玛利亚目光坚定，大大的眼睛显得单纯而圣洁；左右两侧守护着的宗教勇士圣狄奥多尔和圣乔治都穿着皇家侍卫的服饰，手持十字架；后面的天使仰望天堂，似乎在等待着主的旨意。

会，通过在教堂墙壁上绘画来间接吐露自己的个性和梦想。当时，修道士是他们所处的时代的产物，虽然那些野蛮民族的首领在保护艺术家的创作，但是他们的目的是征服欧洲的基督教信仰者，进而确保其自身的有效统治。

历史上的这段时期又被称为罗马艺术时期，是一条人为划分的历史分界线。罗马艺术时期起始于9世纪，终止于13世纪。15世纪上半叶文艺复兴运动的出现，导致罗马艺术逐渐被哥特艺术取代。值得注意的是，这些在不同国家出现的艺术形式，其持续时间的长短也各不相同，以至于这些不同的艺术形式存在的时期往往交互重叠。甚至有时一些似乎已经结束的艺术形式或许还会在数个世纪内持续。现在也是这样，人们在芝加哥修建罗马式的教堂，又在纽约修建哥特式的高楼大厦。波士顿最著名的教堂是纯罗马式的建筑，美国的多数城镇中随处可见的却是希腊式建筑和文艺复兴时期的庙宇。不难判断，希腊式建筑所蕴含的纯洁、正直的气质也正是众多房地产开发商看好的原因。我们再将视线移到华盛顿，从早期的埃及风格的建筑到后来的巴洛克式建筑都出现在我们的视线之内，各种不同建筑风格的建筑和谐共处于这个城市中。古罗马的建筑大师们几乎穷尽了建筑美学的种种变化，这让今天的天才建筑师多少有些嫉妒。

作为13世纪中期出现的哥特式艺术的先导，人们多用“罗马式”评述这一时期的建筑风格，它随着古罗马和早期拜占庭艺术的消失而登上历史舞台。然而，种种原因使今天的我们难以精确地界定其时代的划分。

东罗马帝国在罗马帝国衰落后又延续了将近1000年，仍然难以得到大多数人对它的深度了解（土耳其军队攻占君士坦丁堡时，哥伦布年仅7岁）。俄罗斯的文化、宗教和艺术观念都曾受过拜占庭的深远影响。20年前，在最后一个沙皇帝国灭亡后，众多俄罗斯艺术珍品或者遗失或者被盗，并几经辗转来到欧洲和美国。于是，人们可以从拍卖市场待售的俄

罗马随想曲

油画 潘尼尼·乔凡尼·保罗 1734年 97.2cm×134.6cm 现存于英国梅德斯通博物馆

艺术家将罗马时代具有代表性的古罗马建筑叠放在一起，突显出罗马昔日的辉煌与昌盛。左侧高耸的图拉真圆柱在圆形的古罗马竞技场映衬下分外醒目，右侧是康斯坦丁拱门以及徒留三根立柱残迹的科林斯式立柱，金色的余晖中几个凝立的罗马雕像与游赏休憩的现代人点缀其间，营造出停滞的时空转换之感。现存的罗马式建筑以修道院和教堂居多，般线条简洁明快，外观朴素厚重，给人以雄浑肃穆之感。

弗拉基米尔圣母

12世纪 现存于莫斯科特列恰科夫美术馆

画像中慈爱的圣母爱抚着怀中的圣子，忧郁的神色暗示着对圣子即将担负的命运的忧虑，而圣子却显得成熟而自信，两个人面色明暗的对比暗示着完全不同的心境。拜占庭艺术将古典艺术的自然风格和东方艺术的抽象风格交融于一处，既有着早期基督教风格、形象的标准化特征，也有着浓郁的东方韵味。三维的立体空间被暗藏的精神所取代，线条粗犷，色彩绚丽，炯炯有神的大眼睛，冷峻的眼神以及金色的背景都是其显著的特征。

罗斯圣像真品中一睹拜占庭艺术的风采。作为一种历史的遗迹，这些圣像通常难以勾起买主据为己有的欲望，更不会有什么惊世骇俗之处。它所反映的是1600年以前尼西亚宗教大会对艺术的怪异限定，即艺术家不能依凭个人的喜好选择绘画的主题，而必须遵循教会的传统和律法。

拜占庭的建筑风格同其绘画一样，没有对西欧人产生多大的影响。东西方的文化更是截然不同。当西方一些新兴国家充满了对生活火热的激情，愈发感受自己充沛的力量时，东欧却因陈腐而日渐消沉的文明却渐渐在痛苦的边缘步入逻辑上的终点。就如同民主党或共和党沿用法国国王1789年在凡尔赛宫召开国民大会时所使用的程序一样，人们依旧遵守着拜占庭时期的许多规则。人们乐于从古老的希腊建筑中学到一些技巧，还要依靠自己的劳动创新来弥补自身的需求。因而，我们要告别已经远去的拜占庭时期，把注意力集中到生活在大西洋和维斯瓦河之间的欧洲人身上。事实上，从俄罗斯东海岸起，维斯瓦河可以算是欧洲与亚洲之间的分界线。

前文曾提及，艺术家的才智在严格“限定”的罗马艺术中难以获得广阔的施展空间，那么我们就可以少走一些弯路，直接深入研究哥特时期的艺术。有着矫揉造作之嫌的哥特时期的绘画艺术在今天看来显得非常的夸张。

人们也许会问：“为什么得出这样的评价呢？”为了减少不必要的误解，我将在这里解释一下这个问题。虽然过多的强调多少会让人心生反感，但是我还要再次强调一个必要的观点，那就是艺术必须获得社会的认可才能进而谈及正常、健康的发展。对于失业者来说，失业的糟糕之处不仅仅在于失去了稳定的收入来源，还会附加一种不被社会认可和需要的、可怕的绝望感。倘若丧失了对生活坚定的信念（即自认为所做的一切对于周围事物依然起着重要的作用），那么对于依靠失业救济金而苟活的画家、雕刻家或音乐家多会渐

最后的审判（局部）

壁画　彼得罗·卡瓦利尼　约1290年

艺术家为了赋予壁画中审判席上陪审的十二使徒独特的真实感，将每个人的气质与神态都刻画得形象生动。整幅画面的色彩明暗对比鲜明而协调，人物线条丰满，神态各异却又都极为自然。多数人右手握着神圣的“精神之剑”，唯有中间位置的年轻使徒圣约翰手持十字架、祈祷祝福，也寓意后者是唯一没有堕入殉教而死的命运的。

渐死去，因为任何一个正直的人都不希望自己身处可有可无的窘境。无论是画家，还是建筑师、音乐家、作家、小提琴家、舞蹈家，社会需求的变化与艺术家的荣辱密切相关。而且，画家在罗马时期也确实扮演着一个可有可无的角色。罗马式艺术形式的本质并没有给绘画艺术的发展提供多少空间。罗马式教堂的建筑规模与18世纪魁北克建造的小礼拜堂相差无几。教区居民人数的稀少与专业石匠的缺乏致使当时没有条件去建造一座规模更大的教堂。修建一座容纳上千名修道者的巨型建筑对于一个只有五六十人规模的教区来说，完全没有必要，也没有必要为墙壁上的绘画而浪费时间，因为多数愚昧的异教徒根本就不懂得欣赏。

直至10世纪和11世纪期间，北欧开始慢慢地向基督教信仰转变。海盗或民众暴动不时带来的破坏让多数早期的教堂、圣地越发注重安全问题，从而不得不修建带有防御性质的城堡。为了确保安全，这些城堡的墙体厚实，门窗狭小。这时，玻璃对于大多数人来说还闻所未闻，甚至连皇宫中的国王们也没有条件享受拥有玻璃窗的奢靡生活。人们用厚密的兽皮堵住墙壁上的小窗户，即使这样，在寒冷天

野外的圣·弗朗西斯

乔瓦尼·贝利尼 约为1480年 现存于纽约弗里克美术收藏馆

图中描绘的是一位住在阿尔维尼亚山上的虔诚的圣徒在清晨的阳光中祈祷的情景。他站在自己的住所之外，吟唱着赞美上帝和自然的诗句，张开的双臂和微微前踏的左脚有拥抱阳光之意，远处宏伟的城堡则暗示其内心的孤寂。在他的眼中，平滑的岩石、美丽的田野、静谧的城堡、充满生机的植物、勤劳耕作的农夫、闲适吃草的驴子……在圣洁的光线中都变得如此温暖与亲近，就连身后阅读架上象征死亡的苍白头骨都在桌面上反射光线的映衬下显得黯然许多。然而，这超脱世俗的美好并非所有人能都有所感触。

气到来时也难以抵御窗外的严寒，只得守在火炉旁瑟瑟发抖。生活的困苦致使多数人的寿命不长，就连养尊处优的国王也大多在40岁左右就撒手人寰。

最初，没有人知道如何利用那些罗马式教堂中大量的空白墙壁，有人曾试图用若干雕像来减弱墙面过于单调的氛围，以至于后来雕像泛滥，在罗马教堂的内外随处可见。亮丽的色彩为艺术形式赋予了新的生命力，人们逐渐萌生了对色彩的需求。虽然当时有限的色彩依然略显单调，但各类颜料的调制却需要格外的细致和专业，随着专业的颜料调制者惨遭杀害或是因贫困致死，这种技术就有失传的可能。

客西马尼园中的痛苦

安德里亚·曼特尼亚 15世纪60年代 现存于英国伦敦国家美术馆

坚固的城堡是人类用以抵御自然和其他外界侵害的最后家园。在画面中的群山峭壁之间，一座古代耶路撒冷的幻影之城陡然而起。在平缓、敦实的岩石祭坛前，基督正在祈祷中度过其生命最后的时光，在他的面前，五个天使举着他将面临的刑具——十字架。而最下方台阶下的使徒们正陷入沉睡，唯有右上角枝头象征死亡的秃鹫在等待着那痛苦时刻的到来。

有时，某位旅行者从君士坦丁堡带回一块色彩斑斓的壁毯，一些水手从伊斯兰教信仰者的海盗船里发现少量带有精美图案的丝织品。罗马时期曾流行过的绘画艺术，在一些居住在空寂修道院里的工匠脑海中依然有着零碎的印迹。为了使那些不识字的社会底层人更多地了解救世主的传说，画家们就开始着手在圣书上创作微型图画。社会的认可和需求让这些浑身透着书卷气的画家重拾画笔，在教堂的墙壁上展开创作，尽管他们内心深处对这项乏味的工作难以提起兴趣。从早期遗留下的作品来看，这种绘画工作实际上机会不多，因而众多画家依然需要花费大量的时间去从事微型画的创作。

如今，微型画已经更多地被应用于象牙那方寸之地的精细绘制。尽管我们的祖辈们极其推崇微型画，但在现代人看来却难入法眼。如今靠绘制微型画技术来谋生的艺术从业者早已是凤毛麟角了。然而，如同人们从18世纪的意大利作品中获取乐趣一样，在我眼中的微型画就如同远古书籍中的亮点，乍看可能不会引起人的注意，一旦深入地去研究它们，人们就能从这小小的世界中收获巨大的快乐。此外，作为微型画的诞生地，中世纪早期的画家学校中也确实培养出了中世纪后期众多伟大的艺术家。

微型画中的极品之作多被人一次次地仿制，现在人们已经可以用很低廉的价格去获取这些仿制品，或者挂在卧室的墙壁上，或者夹在裙子上、领带上，有些人甚至可以通过它结识很多兴趣相投的朋友。

古卷上的装帧图

约公元800年 33cm × 25cm

画面中是一部《凯尔西书》上的装帧图，伟大的艺术家们运用其独特的智慧和高超的技巧，以上帝的名义为这部《福音书》设计了精致、华美的装饰。图中三个精巧而夸张的XPI字母构成了装帧图案的主体，暗示着字母组合CHI RHO LOTA的开头字母缩写，即希腊语“基督”之意。抽象的线条纹路细密而又精致，虽看似繁杂却无比清晰，花纹、人物、动物暗藏其中，让人啧啧称奇。

狂欢者

壁画 约公元前470年 108cm×196cm 现存于意大利塔尔奎尼亚博物馆

明媚的春光中，三个穿着华丽服饰的年轻人在春天播种的季节里载歌载舞，祈祷着收获。这幅出自意大利塔尔奎尼亚母狮之墓的壁画洋溢着欢快、热闹的气氛。伊特鲁利亚人相信人死后拥有来世，他们将在死后带走生前的一切，在祝福中期冀着死后仍然能过上富足的生活。艺术家不仅逼真地描绘出人们充满着活力、激情的一面，还借助其他事物烘托出欢乐的气氛，给人以身临其境之感。

乌黑的鬈发暗示着少年青春而充满朝气，柔美、清晰的人物轮廓下，人物的神态活灵活现，艺术家通过娴熟的技巧准确地勾勒出了人物的表情。

最左侧的少年捧着黑色的酒杯，转头似乎在扬手祝福和祈祷，他将手掌心托向天空，承载着上天的祝福，引导着欢庆队伍前进的方向。

人物的肢体线条充满着写实风格，丰满的肌肉下似乎充盈着年轻人无尽的活力。

红、黄、蓝、绿、黑众多的色彩亮丽而和谐，准确地突出了春天的生机勃勃和人物的活泼，有着极强的感染力。

路边，茂盛的花草树木线条简洁、生动，嫩绿的色泽不仅渲染着春天到来的气息，随风摇曳着的枝叶更像是伴随着欢快的音符翩翩起舞。

中间的少年穿着华美的衣服，边轻快地行进边鼓着腮帮吹着两支竖笛，专注的眼神似乎沉浸在欢乐的乐章中。

图中的背景有着强烈的装饰效果，呼应着人物形态各异的肢体语言，真切地将节日庆典热烈、欢乐的气氛烘托出来。

右侧的少年跳着欢快的舞步，侧身弹奏着里拉琴，宣示着人们对生活的无比热爱，他望向身后的动作似乎在召唤着其他人加入庆祝的行列。

大卫和歌利亚

浮雕 洛伦佐·吉贝尔蒂 约1435年 79.5cm×79.5cm 现存于意大利佛罗伦萨圣乔凡尼洗礼堂

雄伟壮丽的耶路撒冷城下，漫山遍野的军队给人以强烈的视觉震撼，艺术家以精熟的透视法将壮阔的场景呈现在人们面前。这座深深镌刻在青铜门上的青铜浮雕仅是十件大青铜门中的一件，它生动地展现了《旧约》传说中年轻勇猛的大卫斩杀巨人歌利亚的故事，米开朗琪罗将这些青铜门称作“天国之门”。

远处薄雾中的耶路撒冷呈现出雄浑、壮阔的轮廓，不仅展示着在这场载入史册的战役中，年轻的勇士捍卫他的祖国和人民的英勇豪情，更暗示着耶和华无所不在的光辉和力量守护着这座城市。

严阵以待的士兵排列着整齐的战阵，林立的刀枪、斧刃之间一位将军站在战车上，挥动着权杖指挥骑兵冲向腓力士军队，飘动的披巾将这一刻的紧张与动感淋漓尽致地表现出来。

三维的人物极具立体感，而随着距离的拉远人物轮廓清晰地渐渐缩小，让宏大的战场极具纵深感。

近处的步兵穿着坚韧的盔甲，侧身谈论着眼前神迹的两个士兵鲜活地再现了人们面对难以置信的事情时所特有的神态，突显出画面中场景的真实性。而稍远处士兵们紧紧地靠在一起，等待着冲锋号角的响起，人们甚至可以感觉到他们眼中迸发出的怒火。

年轻的勇士大卫没有穿戴盔甲，独自一人带着棍棒、抛石袋和五颗鹅卵石毫不畏惧地直面无比强大的敌人歌利亚。神赋予的勇气和力量让他用鹅卵石射中了巨人歌利亚的头，画面中勇敢的大卫正趁着巨人倒地的机会，用锋利的刀刃割下巨人的头颅。

茂密的丛林深处即将上阵的以色列士兵正接受着神的祝福。

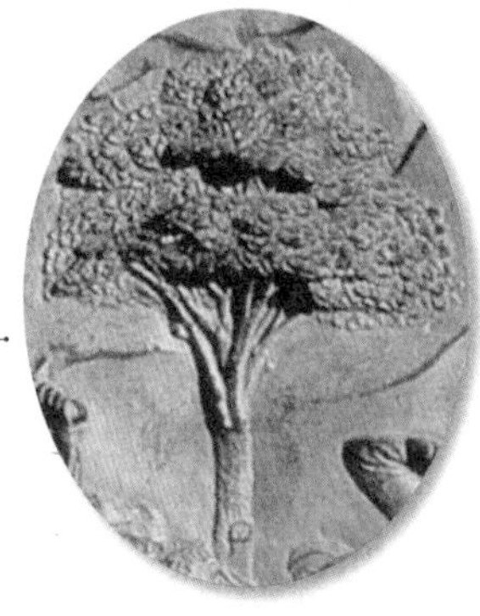

以远处山脚下繁茂的大树为基准，观赏者的视线可以清晰地划分出战场中胜负双方的边界，更清晰地展现了双方的对立和冲突。

腓力士军队被眼前的一幕惊呆了，原本弱势的一方不可思议地战胜了他们最强大的战士，这让他们以为真的受到了神的诅咒，以致在知耻而后勇的以色列士兵的冲锋中溃不成军。

传说中的歌利亚是身高十英尺的巨人，他是腓力士军队的将军，穿着厚重、坚固的盔甲，提着锋利的巨剑，作为恶魔的化身，歌利亚有着无穷无尽的力量。勇武、高傲的歌利亚每天从早到晚在犹太人与腓力士人的战阵前骂阵，提出用一对一决斗的方式来分出胜负，无人敢同他决战，让歌利亚极尽沮丧与落寞。

图拉真纪念柱

浮雕 阿布罗德洛斯 公元113年 高43米 盘旋带状浮雕全长180多米

在充满着历史与文化底蕴的罗马城，罗马皇帝图拉真为炫耀自己征服达基亚人而建起图拉真纪念柱展现着古罗马艺术的辉煌。盘绕着柱面的浮雕饰带用连续性的叙事法重现了这一恢宏战争的每一场战役，2500多个惟妙惟肖的人物和大量建筑、景物让人赞叹，这种将平面艺术完美转化为立体呈现的手法对16世纪文艺复兴的艺术家们产生了极为深远的影响。

牵着骏马的士兵们整装待发，流畅的线条和精准的凹凸效果将马的静态、动态真实地呈现出来；而深重、硬朗的线条则突显了士兵的勇猛和刚毅。

人物的比例与城墙的比例似乎不一致，由此可更加清晰地突显出人物的形象，艺术家以鲜明的态度向人们展示了这片土地上缔造文明与历史的最终仍是人。

人物服饰的雕刻协调而稳重，用肢体语言呈现出朴素、细腻的褶皱，而以此突显出的朴素、高贵之气正是罗马人所青睐与乐于接受的。

茂密的树枝上，艺术家精细地雕刻出每片叶子，充满生机的背景暗示着罗马士兵即将获取辉煌的胜利，过于细致的雕刻也正预示着作为记录宏大的战果的纪念柱其自身的重大意义。

巨石修建起的坚固城堡雕刻得极为细致，人们甚至可以清楚地分辨出屋顶下的帷幔、门窗与城墙上的箭塔，充满着三维立体的真实感。

丰盈的肌肉和优雅的线条展现出马匹有力的动作，士兵们出征的场面看起来更像是一场盛大庆典中的阅兵，有条不紊，充满着阳刚和跃动的生命力。

士兵们以条石、木桩修筑着城堡的围墙，尽管人物众多，但艺术家仍能准确、精细地刻画出每个人物的与众不同，不同角度的人物形象不仅使整个画面和谐、生动，更突显了艺术家深厚的艺术功力。

埋在城堡墙角的巨盾厚重而坚固，光滑的线条不仅突出了盾牌的质感，而且由此刻意强调了军队的强盛和军纪的严明。

青年大卫

安德利亚·德尔·卡斯塔尼奥 约1450—1457年作 115.6cm×76.9cm 现存于美国华盛顿国家美术馆

蓝天白云下，年轻的大卫以穿着朴素的牧羊者模样赤脚站在天地之间，左手用力地向上举起似乎在阻止着恶魔的靠近，而在他的脚下静静地躺着不可一世的巨人歌利亚的头颅。艺术家将年轻、勇敢的大卫形象绘制在皮革制成的盾形徽章上，将充满着困难的胜利看作一场占绝对优势的结果，鲜明的人物对比与充满力量的画风有着极强的感染力，赋予人无穷的勇气和力量。

蔚蓝的天空中飘着如羊毛般柔软的白云，占着近一半的背景，不仅给人豁然开朗之感，更与大卫风中飘动的头发形成良好的呼应效果，预示着大卫天神般高高在上的结局。

在空中挥动的手臂是艺术家着力刻画的细节，强有力的手臂与手指充满着粗犷的力道，给人以极强的感染力，似乎在阻止着恶魔的侵犯，又像是胜利者的致意。

年轻的大卫体型健壮，流畅、柔和的肌肉线条让人物充满着青春的蓬勃朝气。

白色的衣服象征着纯真、正直和正义，而红色的外套则象征着激情和残酷的争斗。

远处地平线上充满着生机的绿色植物，舒展着宽大的叶子，极其和谐、对称地将天空与地面划分开来，而倾斜的生长方向使盾形的画面获得了平衡，更如群星拱月般烘托出画面略带炫耀的意味。

大卫的衣服在风的吹拂下缓缓飘动，细致流畅的褶皱突出此刻人物的动态之美，使人物形象显得精神抖擞。

粗糙的岩石沉稳地安置在大卫的身后，寓意大卫坚韧不屈的性格，以及直面挑战时所拥有的刚毅和勇气。

大卫的右手提着填充着巨大石块的抛石袋，这是他用来征服巨人简单却充满魔力的武器，石块不仅呈现出坚实的轮廓与动感，更充斥着带有血腥的暴力意味。

草地上静静躺着的歌利亚巨大的头颅，鲜明地烘托出胜负双方实力的巨大差距，而落败的一方显得落魄而感伤，这与神采奕奕的大卫形成鲜明的对比，突显出胜利者的勇武、高大。

五月

壁画 弗朗西斯科·德尔·科萨 15世纪70年代 319cm×320cm

五月，平坦的大道上，太阳神阿波罗驾着华丽的战车接受朝臣、天使以及绅士的致敬。这幅庞大的壁画是意大利费拉拉地区埃斯特宫殿“月之屋”墙壁上的一部分，艺术家以其细腻的笔触借用占星学的神性记号重现了宫廷一年四季中不同盛会的场景。绚丽、明快的色彩让整幅画作充斥着奢华、高贵的气息。

衣着华丽的绅士、女士们站在大路的两旁向阿波罗致敬，艳丽的色彩与人物服饰精细的线条突显出上层社会的奢华与高贵。

丰盈的线条和柔和的色彩真切地呈现出骏马的轮廓，需要注意的是丰盈的肌肉与沉稳的马蹄鲜明地显露出马匹的神骏风采，从侧面烘托出战车拥有者的财富和地位。

五月符号之一——木星，为手持权杖的贵族施以祝福。罗马人在牧师的祝福中开始崭新的一年，清晰的人物关系生动地再现了人们虔诚的内心，精细的笔触下牧师安详的神情栩栩如生，优雅的动作突显出艺术家敏锐的观察力。

五月符号之二——火星，为两个裸体男子，一个双手交叉在胸口，另一个在吹奏长笛。

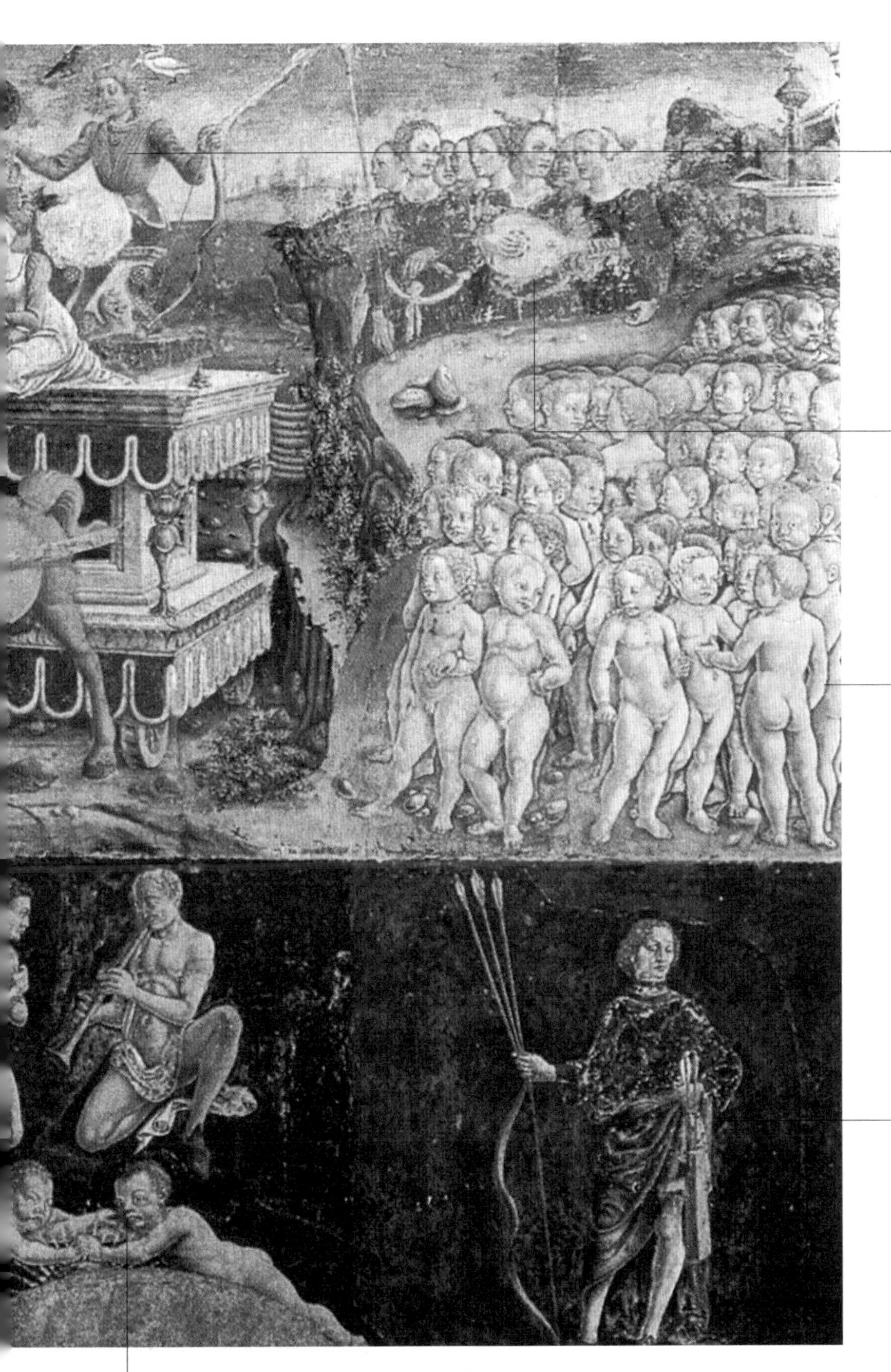

太阳神阿波罗坐在高高的战车上，左手持弓，右手托着地球，平展开的双臂暗示着宽容和赐福，为整幅五月庆典时的场景奠定了鲜明的基调。

在希腊赫利孔山的喷泉边，缪斯女神们载歌载舞，演绎着人间的艺术和欢乐。

画面右侧的道路旁成群结队的小天使们神态各异，或充满好奇地望着战车，或彼此谈论着，烘托出画面欢乐、喜庆的热烈氛围。

五月符号之三——太阳，为持着弓箭的男子。射箭已经不仅仅作为一种作战的能力，宫廷中的贵族们更将击剑、骑马、射箭当作一种悠闲的日常活动。

两个裸体的孩子暗示着双子座的占星学符号，罗马传说中一对性格相异的双胞胎兄弟从被贬黜下界的天神那里各自继承了一半的性格和命运，他们受司掌春天与生命的女神玛雅指点，终于融为一体，和睦的兄弟拥有同一个身体，两张不同的脸，一张回顾着过去，一张畅想着未来。

第三章

哥特时期

在获得教会这个新的资助方之后，画家才得以再次登上历史的舞台。

倘若你弄丢了一位艺术家朋友的地址，那么白天在公园附近发现他的概率会比在繁华的第二大街上大得多。自古以来，无论是现代艺术家还是中世纪后期的艺术家都难以摆脱以艺术谋生的行规定律。正如人们所谈论的那样，艺术家不可能靠喝西北风填饱肚子，找到一个可以为其创作提供舒适生活的资助人才是重中之重。而11世纪初的教会，就是被艺术家找到的资助方。

传统的罗马帝国在若干世纪的争斗中轰然倒塌，教会当仁不让地承继其衣钵，成为世界上新的绝对权威。一直以来，只有强权可以维系人类安全与和平的观点深入人心，整整6个世纪的战乱也没能彻底根除这种意识，长期不安定的生活反倒促使这种强权意识在平民中得到了进一步的加深。于是，假托神圣旨意的新统治者为了

末日审判

祭坛画 汉斯·梅姆林

这幅三联绘画讲述的是基督教中世界末日来临之前，基督对世人进行最后的审判，信仰上帝的行善者升入天堂，反之则堕入地狱。中间的主图上，基督坐在天堂中以彩虹凝成的宝座上，追随者分列两侧，圣母和圣约翰在一旁求情，百合花与宝剑象征着他的仁慈与力量。其脚下天使吹响了末日的号角，游荡天地间精忠勇武的权威天使圣马可正为每个灵魂称重，因为正直人的灵魂比阴险人的灵魂重，天平正朝着跪着祈祷的正直人一方倾斜。被救赎的灵魂在圣彼得的迎接下走向步入天堂的水晶台阶，而罪恶的灵魂则在恶魔的奴役下忍受着烈焰与黑暗的折磨。

获得最高的绝对权威，自然也会努力寻求一些物质和精神方面的武器，成为真正意义上的审判者和裁定人。而这一切皆需要坚强的意志和民众的支持。教会从两个方面来获得民众的长期支持：以正统的观念引导民众，用教会的荣耀和财富来激励民众。

历史上，教会也曾面临过一个强有力的竞争对手。公元800年，教皇不顾上千人的强烈反对，将罗马皇帝的尊贵地位赐予一个部落的首领。这个人看似强大到足以保护圣彼得的遗产免遭来自东西两面的敌人的夹攻，但这位名载史册的统治者沙勒曼的继承者却完全没有先前有着远见卓识的法兰克国王那么虔诚，再度崛起的罗马帝国经过数百年的发展，期待着重新站在世界的巅峰，并高调地向世界宣告：只有神圣罗马帝国的皇帝才是神在世界上唯一的、真正的代表，而教皇不是。

威尔顿双联画

版画 约1395年—1399年 53cm×37cm 现存于伦敦国家美术馆

图中描绘的是英格兰国王理查二世在圣母子面前跪拜的情形。左图中理查二世跪在丛林前黄色的土地上，一脸虔诚，微张十指欲向前伸出的双手暗示着其王权所受到的肯定。手持弓箭的殉难者埃德蒙和手持戒指的忏悔者爱德华恭敬地侍立一旁，抱着羊羔的施洗者约翰则为其引见。右图圣乔治旗下，众多天使簇拥着圣母，圣子正为理查二世祝福，天使们的胸前都佩戴着象征理查二世的白色雄鹿胸针。画面精美而典雅，极富皇家高贵的气质。

于是，一面是神圣罗马帝国的皇帝，一面是教会，两种强权势力代表在中世纪（约公元9世纪到15世纪）早期从未停止过争斗。双方都竭尽所能地寻求更多的支持者，以图在无止境的惨烈斗争中占得先机。神圣罗马帝国通过选举从半开化的法兰克、撒克逊、塞尔维亚和波希米亚贵族中选出了皇帝。而教会则拥有着更为稳固、完善的组织和更丰富的知识。所以，在阿尔卑斯山野蛮人与教会之间的无尽战争中，后者不容置疑地将艺术家看作其最有力的同盟军。

当然，我以如此短小的篇幅描述这段恢宏的历史看似过于草率，深谙历史的学者们会提出无数的反驳意见，以证明整个过程远比我的叙述要复杂得多。但我仍认为上述论述的主线和重要观点是不容置疑的。人类争斗的双方总是在无意识间将艺术当作最值得依仗的

ALEXANDER M.DARIVM VLT: SVPERAT
CÆSIS IN ACIE PERSAR: PEDIT: C.M. EQVIT
VERO X M. INTERFECTIS. MATRE QVOQVE
CONIVGE. LIBERIS DARII REGIS CVM M. HAVD
AMPLIVS EQVITIB: FVGA DILAPSI CAPTIS.

一座大教堂的建造

让·富凯 15世纪 选自1世纪犹太史学家约瑟夫斯著作的15世纪手抄本

哥特艺术风行的最初，各种艺术形式还仅仅用于服务宗教，罗马时期雕刻艺术的蓬勃发展为其提供了良好的基础。画面中，城市中心新建起的教堂有着显著的哥特式风格，拱顶、飞扶壁的设计应用使建筑物墙壁不必承受过多的压力，从而墙壁变薄，也为玻璃窗的设置提供更大的施展空间。为满足民众对简单雕刻品的需求，大量从事农耕的人涌入这个门槛不高的行业，使其获得更广泛的发展。

利器，现代国家的统治者们可能会对此有更加深刻的体会。于是，艺术作为一种最具影响力的宣传利器，在长期的争斗中其各种形式皆获得了长足的发展。

众所周知，雕刻家们在罗马时期就曾做过大量的技术推广工作。随着民众对简单雕塑品需求的逐步增加，雕刻艺术如同吸引原始人一般吸引着越来越多的人痴迷于此，而其中99%的人是在田间从事耕种的农民。然而，农夫和乡绅早已失去了对这个世界的掌控权，大量的土地被野心勃勃的小地主瓜分。这些伯爵、公爵和男爵为了能有实力与周边的邻国抗衡，占据了广袤的土地。实际上的封建社会并非如天堂般美好，也不像以前的历史学家

亚历山大的胜利

版画 阿尔布雷西特·阿尔特多费尔 1529年 158cm×121cm 慕尼黑圣坛画陈列馆

精美的画作中记录着亚历山大在伊萨斯战役中所取得的辉煌战果。激烈的战场上，亚历山大指挥勇士们冲锋向前，而大流士三世正乘着双轮马车仓皇逃离。刀枪林立，旌旗猎猎，两军士兵如红黑色的两条河流在地面上回环涌动。紧促纷乱的战场与风云突变的天幕形成色彩鲜明的对比，处于两者之间的地平线上宁静的地中海版图则为两者寻到了完美的平衡。

好政府的寓言

壁画 安布罗乔·洛伦泽蒂 约1338—1339年 296cm×1398cm 锡耶纳普布利西奥宫

艺术家在这幅壁画中竭尽全力去营造一个繁荣安定的城市环境，不同样式的房屋建筑被涂抹上明快的色彩，形形色色的城中居民在整洁、繁华的市井之间谈笑风生、载歌载舞、互惠交易，良好的秩序让小城充满了生机和人情味。商业的蓬勃发展让人们拥有了曾经难以企及的奢侈体验，而作为精神慰藉的艺术也在此时获得了难得的喘息。

们所讲述的那么野蛮、悲惨。从这个时期的艺术发展轨迹中，人们不难发现，城市突显的优势在社会生活中愈加的明显，一座拥有2000人的村庄即可以算作是初露雏形的城镇了。

在13至14世纪时期，城市人口的快速增长令欧洲南部、西部的人们的生活发生着改变。他们已经在贫困线上挣扎了大约700年的时间。随着意大利威尼斯、热那亚、佛罗伦萨、比萨等一系列商业中心的兴起，布鲁日、根特、波罗的海北部城市以及法国罗纳河沿岸的中心城市也在一片繁荣中迅速崛起。欧洲大陆的每一寸土地都呈现出一派繁荣昌盛的景象，欧洲人完全抛却了经济匮乏所带来的单调乏味的生活。在这块700年来以易货贸易为主的土地上，渐渐积累起的财富，让人们有充足的现金用于支付诸如绘画和音乐等非生产性的投资。

其中受益最早的即是绘画艺术，其次是音乐，在这轮崭新的世界经济发展中受益的问题我将在另一本书中详细阐述。

这段特殊的历史时期即是人们所说的哥特时期。哥特是一个有着丰富内涵的词，最初是作为问候语被意大利人使用，之后词义渐渐产生了较大的变化。哥特式对于12世纪的意大利人来说，是指以哥特人的方式建造的东西。时至公元三四世纪，古老而灿烂的罗马文明在哥特人的手中被摧毁殆尽，这些强悍的哥特人追求垂直上升的线条，用石头堆砌起属于他们自己的新教堂，这些摩天建筑与罗马式教堂那种低水平线方式的建筑完

全不同。于是，自己的建筑风格被完全否定的意大利人轻蔑地以哥特式或野蛮式来称呼这种革新，然而这一词汇却被莫名地沿用到今天。如今的人们提及哥特时期，通常所指的就是13世纪到15世纪这段时期。

但是正如我不断强调的，尖顶、拱形门和流线型大窗子建筑的新式设计的短暂流行，对1250年以后的教堂建筑风格并没有带来多大的影响。哥特式建筑的发展在意大利十分缓慢，甚至从未在意大利本土真正盛行过。盛行不衰的罗马式建筑直到15世纪末，才最终为文艺复兴式建筑所取代。然而，人们却时常可以在纯罗马式建筑风格的教堂中看到典型的哥特式绘画作品，可见画家始终无法避开时代的潮流而独行。

罗马式建筑的特征是在厚重的墙体上设计狭小的窗口，于是建筑内的墙壁就为画家施展绘画才能提供了充足的空间。画家们要先在墙壁上涂抹一层新鲜的湿石膏，然后再开始绘

伊甸园

林堡兄弟　约1413—1416年　20cm×20cm

这是中世纪时期以哥特式细密画著称的林堡兄弟在贝利公爵的授命下为《时序祈祷书》合作绘制的插画。画作描绘了基督教中原罪的故事情节，在蔚蓝大海和连绵群山的环绕中有一座由围墙圈起的伊甸园，园中绿草如茵，有着典型哥特式建筑风格的门楼。画面从左至右依次是夏娃在蛇的诱惑下摘取禁果、与亚当偷食禁果、被恼怒的上帝制裁而逐出伊甸园的情景。

未经确定的景物

版画 多米尼克·贝卡富米 约1540—1550年 74cm×138cm 现存于英国伦敦国家美术馆

艺术家以其对色彩和明暗敏锐的感悟绘制成这幅画作，尽管其笔下所绘的原景人们无从得知，但是画面中间的斗兽场和右侧的天使城堡背景似乎在暗示人们这里是意大利的罗马城。光线高亮的街头人们三五成群，似乎将要有什么重要的事情发生，人们彼此交流着，神色匆忙而充满忧虑。浓丽的色彩搭配与强烈的明暗对比让画面凝重、炫目，再现了当时意大利人的生活场景。

制，最终的成品会在石膏和颜料干透之后保留下来。这种借助石膏绘制完成的作品被人们称为壁画。

尽管壁画的绘制看起来非常简单，但若想做好，则需要充足的实践和熟练的技艺。因为一旦泥土风干后，成形的作品就再无修改的机会，必须事先进行严格认真的准备。这与绘制油画时可以随时修改有着本质的差别，若画家愿意，一幅油画甚至可以让他在一块画布上画二十多年。所以壁画的绘制必须具备娴熟的技巧，不是一次成功，即是全盘失败。更不幸的是，一旦失败就必须将全部石膏从墙壁上凿下来，然后从头来做。

尽管中世纪资金匮乏，但是时间相对充裕，更没有人能理解“时间就是金钱”这句警语的经典之处。依照行会规定，漫长的学徒期总能让艺术家的作坊里拥有大量学徒可用。大师们常常只关注于绘制草图即可，前期的准备工作完全由学徒来完成，一旦准备工作就绪，就可以在预定的时间内一挥而就。

画师甚至可以用在平板上敷一层薄石膏来代替墙壁供其创作。但由于此种方法过于复杂，自从15世纪上半叶两位佛兰芒人发明了油画绘制之后，人们就将这种令人不悦的作画方式完全抛弃了。

在我们对12世纪后半叶画家的社会背景有了一定的了解之后，会发现这些画家可能是

修道院为《圣经》绘制插画的人，也可能是市井街坊中微型画的绘制者。他们获得社会对其工作真正需求的信息后，便会立刻放弃空虚的奢华，转身投入到对平凡生活的创作中。

异教徒艺术在早期的基督教会艺术中占据着主导地位。艺术家与异教徒在之前的700年间完全断绝了联系，艺术家逐步被同化为新的圣徒。绘画师心中的救世主不再是相貌英俊的希腊诸神，他比前人对《圣经》的故事更加熟悉，他要用他的笔触向现实中的人们描述这些故事，而这就是我们解析中世纪艺术“原始”作品的钥匙。

为了不引发歧义，人们在创造一个新词时总会重新界定这个词所要表达的真实含义。“原始”这一词汇始源于拉丁文中的“开始”或“第一”。如此看来，我们身边充斥着各

八位天使参加的圣母子的就职典礼

版画　乔瓦尼·契马布埃　约1260—1280年　385cm×223cm　现存于意大利佛罗伦萨乌菲齐美术馆

相传这幅名作是乔托之师专为佛罗伦萨圣三一教堂的祭坛装饰而作。画中怀抱着圣子的圣母庄严地坐在圣座上，自然而安逸地微微侧身祈祷、祝福。她周围簇拥着的八位天使高低错落，飘浮在空中，暗示那里是远离尘世的天国。圣座下壁龛中的预言者面露沉思之色，凝重的神色与上面形成鲜明的对比。大量的金箔使画面充满神圣之感，圣母外袍的金线纹路颇具拜占庭的硬朗之气。

王座上的圣母玛利亚

祭坛画 杜乔·迪·博尼塞尼亚 1308—1311年 213cm×396cm

这幅祭坛画是整幅《陛下》画作的一部分，原本置于锡耶纳大教堂，整幅画由65个独立部分组成，但在18世纪时被切割成数块，曾经的非凡之作现已散落在世界各地。画面中的圣母玛利亚是锡耶纳人心中的守护神，她在天使的环绕下抱着耶稣安详地坐在精致、华美的圣座之上。两侧的皇家法官和圣徒们秩序井然地站立着，四个殉教的守护者跪拜在前。人物比例的差别突显出其身份的不同，虽画面稍显呆板，但人物衣饰的金色线条流畅、柔和，顿生和谐与庄重之美。

种各样的原始艺术，如穴居人的原始艺术、埃及人和希腊人的原始艺术、美国人的原始艺术等。我们这里所借用的“原始”一词，单指重现于世的绘画方法，在经历了漫长的沉寂时间，这些几乎已被人们彻底遗忘的绘画技巧不得不令画家们重新学习和掌握。也就是说，这些我们现在所学习的绘画艺术仍处于孩提时期。

我们对于自己的孩子在获得第一盒彩笔和旧信封时所做的事情是非常熟悉的。但是我们仍无法理解孩子们的作品，皆因我们无法认定钉上4个钉子的正方形和伸出的一对长角代表一头奶牛，更弄不清一排浅浅的平行线代表着一个苹果园。但在孩子们的心中，这些都是毋庸置疑的。我们只能揣起自己的疑惑，尽力去迎合孩子的思维，以免对他们的感情造成不必要的伤害。这种欣赏的态度也是我们在考察过去的艺术作品时所应秉承的态度。我们必须通过结合他们生活的时代特征，来获得那些已被长期遗忘的画家所要表达的些许内容。只要我们肯努力尝试，即便是无法在欣赏方面取得突破，也会慢慢做得更好。这需要的不仅仅是坚强的意志，还要耗

墓前的圣女们

祭坛画 杜乔·迪·博尼塞尼亚 1308—1311年

画面中表现的是耶稣复活后的一段场景，天使加百利在空空如也的耶稣墓前将真相告诉给发现墓葬蹊跷的三位追随者——耶稣已经复活。尽管画面中没有出现耶稣的形象，但是几个人郑重的神色和肢体语言却在告诉人们这充满震撼力的一幕，其中承载着基督教极具分量的内涵。人物的形象极具立体感，衣饰的线条流畅而柔和，刻板的布局下却暗流着汹涌的内心暗示。

费大量的时间、耐心和钻研。

像我在《艺术》一书中说到的，要想研究绘画名家，如果不能住在一家藏品众多的博物馆附近，那么最好选一些名家画作的复制品，挂在家里随时可以看到的地方，日复一日地欣赏会对人产生渐进影响，如同人工感光胶片发明之前以阳光感光一样。忽然有一天，你会茅塞顿开地说：“我知道了！太简单了！为什么我以前没看出来呢？”

欣赏音乐亦是同理，起初甚至相当长的一段时间内，它可能就是一大堆毫无价值的噪

音而已，但如果经常聆听和品味，你就可能会爱上它。

需要注意的是，这类鉴赏方法并不是屡试不爽，多数时候仍取决于欣赏者的鉴赏水平。但是，较低的鉴赏天赋在坚强的意志下，也能获得缓慢的提升。即便我们不喜欢那些古老陈旧的异国流派的建筑、音乐、美术作品，至少要懂得应拿出一点儿起码的尊重。

现在我们可以尝试着理解和欣赏一些原始的绘画作品。例如欣赏一幅乔托的画，就必须先从了解乔托所处的时代和他试图表达的意念入手。在那个人们精神受到长期禁锢的

召唤使徒彼得和安德烈

祭坛画 杜乔·迪·博尼塞尼亚 1308—1311年 43cm×46cm

在金色的苍穹之下，神迹暗露，耶稣召唤加利利渔夫彼得和哥哥安德烈成为他的追随者，卸下捕鱼的职责而成为人类精神追随者的引路人。耶稣猩红的长袍暗示蒙难，紫色披肩暗示他地位的尊崇，一无所获的两兄弟在狭窄的船中暗示空间的狭隘和才干不得施展。耶稣让他们向船边撒网，他们却对网中捕获的大批的鱼视若无睹，充满疑惑地看着耶稣：凡人与神的差距显露无遗。

圣萨比诺觐见总督

版画 彼得罗·洛伦采蒂 约1342年 37.5cm × 33cm

画面中描述的是锡耶纳四守护神之一的圣萨比诺在托斯卡纳的罗马总督面前不惧权势、凛然相拒的场景。背离于视角的总督要求圣萨比诺供奉一个异族的雕像，而着一身圣洁白袍的圣萨比诺在画面中格外的醒目，白色与金色的搭配使其神圣超然于场景之外。中间突兀的廊柱将画面整体一分为二，寓意着分歧。透视法使空间和人物具有立体感，色彩与明暗的反差也让画面更具有冲击力。

圣母子

乔托·迪·邦多纳 约1320—1330年 85cm×62cm

不同于湿壁画的庞大，这幅绘画完全突破了尺寸小巧的局限，反而呈现出一种难以言喻的宏大之感。西方绘画之父乔托向世人完美展现了绘画中所具有的澎湃的精神力量。质朴的画面充满着浓郁的人情味，圣母怀中抱着圣子，以一种庄重却又流露出无限慈祥的目光望着人们，体态相对小得多的圣子则呈现出一种自然、庄重的成熟之美。创作者笔下对真自然与人性的向往为绘画艺术带来了一次飞跃。

时代，对荣耀和美好事物的追求被重新唤醒，乔托所生活过的弹丸之地历经数个世纪的冲刷，依然没有完全开化。在这块受到上帝祝福的土地上生活了45个春秋（这是健康情形和卫生条件极差时普通人的平均年龄）的乔托依然有着继续快乐生活的打算。

反映现实是原始画家和后继者们努力实现的重要目标。他们往往试图通过作品将亲眼所见和亲身经历的东西呈现给观众。与后期的宗教作品相对照，你会立即发现其中的差别。如伦勃朗的绘画和蚀刻版画中总是选择一些盛大的圣经故事场景作主题，它们是如此的富丽堂皇。我们会深深感受到作者及其作品受圣经的影响之深。此外，圣经故事的场景或是《圣经》中的插图也常呈现于伦勃朗及他同时代艺术家的绘画和蚀刻版画中。早期的意大利画家并非通过阅读了解《圣经》，他们每天听别人讲述《圣经》中的故事，不断地熏陶致使这些故事渐渐在他们的思想和精神中根深蒂固，这就如同现今的少男少女心中无

受胎告知

壁画 安吉利修士 约1441—1443年 187cm×157cm 现存于意大利佛罗伦萨圣马可博物馆

这是一幅绘制在圣马可修道院密室中的作品，天使长加百利正郑重地告知圣母玛利亚她将生下圣子的使命，而右侧的玛利亚圣洁而恭敬，躬身垂首聆听着；左侧的圣彼得则双手祈祷，其祥和、庄重的神态更突出了这一时刻的神圣。静谧的背景、自然的神态让画面质朴而有序，人物优雅的线条使主题和谐且极富美感。

圣乔治被斩首

壁画 阿蒂基耶罗·达·兹维奥 约1382年 现存于帕多瓦圣乔治小礼拜堂

艺术家以其生动细腻的笔触描绘了圣乔治被斩首时的场景，密集的人群与高耸的长矛让这一切都充斥着一种压迫感和淡淡的哀伤，壮美的城堡与高耸的悬崖更增添了史诗的效果和逼真的气场。圣乔治跪在地上双手安然地祈祷，这与旁边喋喋不休的异教徒牧师形成了鲜明的对比。刽子手小心谨慎地端详着剑的落点蓄势待发，士兵不忍的眼神、孩子惊恐的神情与其他围观人的悲伤之态共同凝缩成这一悲惨事件的主题。艺术家精准地抓住了人与人之间的关联和内心交流，立体的形态和线条成为一大亮点。

圣母子荣登圣座图

版画　杜乔·迪·博尼塞尼亚

1285年作 450cm×290cm 现藏于意大利佛罗伦萨乌菲齐美术馆

这是一幅为装饰祭坛而作的绘画作品，在端坐于圣座上的圣母子周围绘有六个不同姿态的天使，天使们都半跪着以虔诚的神情望着圣母子。虽然仍沿袭了宗教形象中圣母子端坐的一贯主题，但是这幅画中却显现出13世纪难得一见的亲切感，当时的锡耶纳绘画艺术格外注重色彩与线条的搭配，艺术家以典雅的线条使浓烈的色彩彰显得格外高贵、绚烂。

比崇拜40年前美国传奇般的拓荒者一样。

毋庸置疑，画家们也从未怀疑过他们在以往的画作中的每一笔都满含着真情实感。正如我们今天无法与他们取得完美的精神沟通一样，他们也无法理解我们现时期的各种疑惑。也许无须质疑我们的真诚，但充斥在我们身边无法挥去的疑惑是我们对中世纪那个特定时代绘画和音乐难以理解的原因。13世纪、14世纪的艺术对于我们来说要远远比令人疑惑的希腊艺术难懂得多。

人们深深体悟这一点之后，全新的令人振奋的世界将会展开。就像我在《艺术》一书中所提及的，人们即便费劲去阅读100本有关艺术的书，也不如通过阅读《艾西斯的圣弗兰西斯》传记和但丁的作品来研究中世纪后半叶的艺术有用。现代人能在与其无关的想象中耗费大量的精力，就一定可以对佛罗伦萨人、威尼斯人、锡耶纳人和帕多瓦人的梦想有更多的理解，进而了解那个时代的人藏迹于艺术中的梦想世界。1200年前迦南大地上诞生的

伟大奇迹汇集了他们所有的梦想。他们全身心地投入这些令人震惊的奇迹创造中，直至这些奇迹在现实中为他们带来利益。他们如同帕雷斯蒂纳和约翰·塞巴斯蒂安·巴赫将其梦想融入音乐，再把它们演绎给听众一般，他们将梦想融入绘画中，他们向世人宣告：“这就是我们看到的，不管人们是否相信，所有这一切确实是我们亲眼所见。”

不可否认，艺术的发展取决于地理位置和经济发展的状况。无论是商机遍布的世界级城市佛罗伦萨，还是具有同样规模的世界级城市威尼斯，机遇、奢侈和悲惨的交织成为这些地方的主旋律，而这更为多样化艺术的孕育提供了便利条件。然而与罗马完全不同的是，在宁静的省城西耶纳，人们的一言一行都是由神在世上的代言人来决定的。也只有在人种混杂、生活懒散、政府腐败的那不勒斯才能诞生与米兰完全不同的画家。米兰的列奥纳多·达·芬奇如果没有在工程方面分散太多精力的话，他完全有可能在绘画上获得更高的成就。然而不论来自哪里的画家，他们都努力用一种绝对真实的语言来表达自己的思想，而非道听途说，这是那个时代画家共有的特征。他们将亲身经历的世界还原在画作

抱着雪鼬的女士

版画　列奥纳多·达·芬奇　约1483年　55cm×40cm　现存于波兰克拉科夫托尔格斯盖博物馆

纯黑色的背景中一个年轻的女子抱着雪鼬侧身而坐，右侧明亮的光线使她的肌肤显得格外细腻、白皙，胸部、前额、嘴部的直线条显得人物稳重大方。相传画中的女子是米兰公爵的情妇塞西丽亚·加尔兰尼，她修长的手指下雪鼬狡黠的眼睛、灵巧的身形，让这种对人依赖性极强的宠物似乎暗有所指，女子微翘的嘴角、灵动的眼神则明快地勾勒出人物的睿智和自信。

1498
Albrecht Dürer
382
972

上，其真实程度绝不比现代的摄影逊色，甚至有的比摄影更真实。

人们多会质疑："南欧的绘画艺术在北欧尚未开化以前就已有了数百年的历史了，为什么说油画诞生于北欧呢？"

答案很简单，因为只有社会需求才是任何一项发明的基础。在南欧，由于罗马式建筑大行其道，充足的墙壁空间为画家的创作提供了保障。而在北欧，教堂的建筑形式由传统的罗马式改为哥特式，在墙壁空间急剧缩减的条件下，也就难以进行壁画的绘制。用语言解释总显得苍白，借助一些图片可以非常清晰地看出这两种建筑风格的差别。法国、德国和其他低地国家（北欧和地中海沿岸的国家）的建筑师们找出了既可应用厚重的屋顶，又不会让建筑物的墙体因超负荷承重而坍塌的建筑方法，解决这个困扰希腊人和罗马人的难题花费了他们很长的时间。而且这种方法并非通过增加墙壁的厚度来实现，绝对可称得上是建筑史上的奇迹。如果教堂的墙壁有20英尺厚的话，整体

圣徒小教堂内部

约1243—1248年

哥特式的艺术风格在教堂建筑和装饰上有着最显著的特色，这些应用于罗马式之后、文艺复兴之前的新艺术风格有着让世人惊叹不已的建筑结构。优雅轻盈的拱顶、精巧别致的廊柱、海量华丽的彩色玻璃镶嵌，赋予建筑更充分的几何之美、空间之美、光学之美……画面中的教堂墙壁彩色玻璃的应用竟然达到3/4，在外界光线的映射下光影交织，让人如入圣境。

戴手套的自画像

油画 阿尔布雷特·丢勒 1498年 52cm×41cm 现存于西班牙马德里普拉多美术馆

一位清秀、高贵的艺术家坐在窗前，镶有花边的百褶紧身衣外套着黑色边纹的紧袖外套，白色的手套、黑白相间的绳带和帽子，这些曾是那个时代德国年轻人最引以为傲的装束。在这幅艺术家的自画像中，卷曲披肩的长发、稀疏的胡须让人物形象有着中世纪骑士般的傲然，位于框槛上的手臂很好地拉近了人物与欣赏者之间的距离，而窗外北欧美丽的景致暗示着作者对曾翻越阿尔卑斯山前往意大利的纪念。

羔羊的礼赞

祭坛画 简·凡·爱克 1432年 135cm×235cm 现存于荷兰根特的圣巴夫大教堂

在充满着生机和希望的田野上，生命之泉喷涌不息，从四面八方纷至沓来的人们目睹着眼前的奇景。长着翅膀的天使们手持耶稣受难时的象征物跪拜在祭坛周围，一只献祭的白色羔羊站在祭坛上，神圣的血液正流入圣杯，对羔羊的祭拜寓意着对基督的虔诚与礼赞。所有在场的人以及远景处的圣城和教堂都沐浴在温暖、神圣的圣光之中，带给观赏者无限的憧憬和力量。

看起来肯定如同一只怪物，而哥特式的建筑师们用“支柱”加固了墙壁，用真真切切足以承载屋顶的柱子替代了石匠手中原本沉重的传统建筑材料，一切皆成为可能。墙的概念被弱化了，原本属于墙的大量空间被巨大的窗户代替，而这些窗户对于北部阴冷潮湿的天气来说显得尤为重要。这些窗户更触发了艺术家们在彩色玻璃上绘画的奇思妙想，他们竭尽所能在有色（或烧过的）玻璃上展现绘画艺术的精妙，这些绘画后来多成为中世纪绘画大师们最杰出的作品。

那些曾经在罗马时期以绘制壁画为生的画家如今失去了大量的墙壁空间，为了寻找新的谋生出路，他们只有另辟蹊径继续绘画创作。既然无法再依靠墙体和湿石膏，用什么材料可以替代它们呢？其实这早已是老生常谈了。人们早在古希腊时期就曾着手尝试将不同材料加以配制作成颜料，甚至有人把颜料和醋、酒、蜂蜜、蛋清配制在一起。对理想颜料的探索在中世纪初期从未间断，但结果却每每让人无法满意。直到15世纪初，一种流传至意大利的将颜料兑上油的全新方法改变了这一局面。据说是生活在穆塞山谷的两位兄弟（哥哥休伯特·凡·爱克死于1426年，弟弟简·凡·爱克死于1441年）将这种绘画方法发扬光大的。

然而，这种以油兑颜料作画的新颖方式在1420年以后并没有在全世界范围内获得普及。意大利的艺术家们仍旧沿用旧法绘制壁画持续了很多年，或者有时将新旧两种方式混合使用。时至今天，壁画创作依然有着巨大的市场，仍有人在为此不懈努力，尤其是在美国。

凡·爱克兄弟的发明（或者称其为“完善”）为绘画艺术带来了一场彻底的革命。人们只要依凭一块木板或一块画布，就可以随时随地从事创作，完全摆脱了旧有的墙壁的局限。

但相关技术的改良并没有使北方人的观念获得转变。作为中世纪的遗民，他们的思维模式仍旧在把颜料与油混合之前的时代中驻足不前，他们受到神秘主义的影响更深，他们深信不需任何外在自然的帮助，只凭内心的不断探求就能够获得有关神更深

圣母领报

油画 简·凡·爱克 约1434—1436年 92cm×37cm 现存于美国华盛顿国立美术馆

昏暗的教堂穹顶下，一扇绘有圣父上帝的窗户透着温暖的光，一只象征圣灵的鸽子顺着神圣的光线向圣母玛利亚飞来。珠光宝饰、洋溢着喜悦的天使加百利正在告知玛利亚怀有圣婴的消息。而谦恭的玛利亚却似乎心事重重，皆因她已预感到将来要发生的苦难。天使脚下的地砖上清晰地绘着大卫杀死歌利亚的故事，暗示玛利亚所拥有的神赋予的战胜恶魔的勇气。明快的色彩和轻灵的光线让整幅画升腾起一种纯洁、伟大的神性光辉。

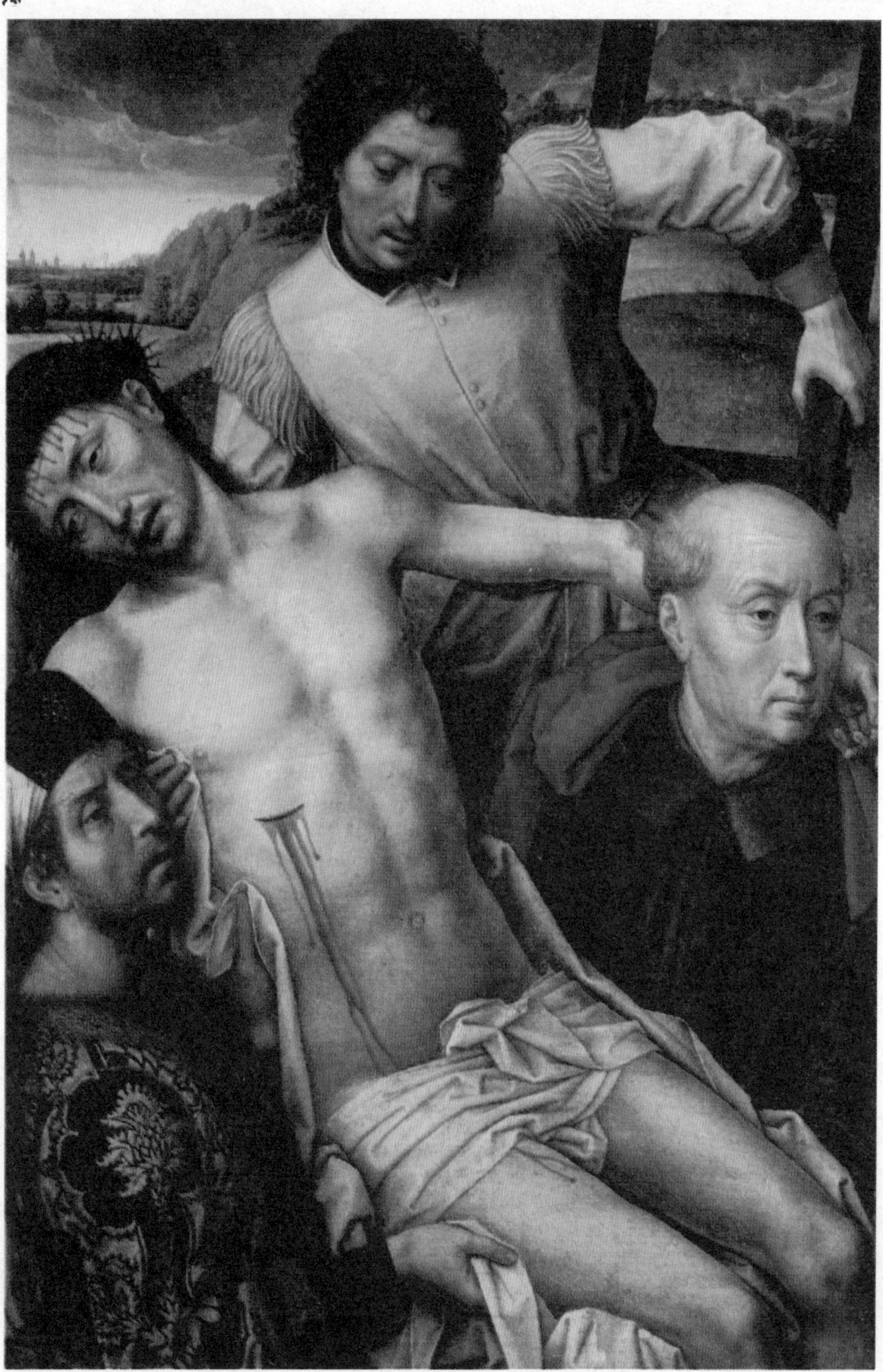

天使报喜

版画　西莫尼·马尔蒂尼　1333年　184cm×210cm　现存于意大利佛罗伦萨乌菲齐美术馆

辉煌、壮丽的金色幕景之下，一只寓意圣灵的鸽子翩然而至，匆匆而至的天使加百利跪拜在圣母玛利亚的身前，告知她即将成为圣母的讯息，天使展开的翅膀和飘动的披风更增添了这一刻的气势和动感。然而，圣洁的玛利亚似乎对此毫不知情，惊慌失措地退缩着身子欲以斗篷挡住自己。画面中的人物动作优雅，无处不极尽藻饰之能，这些都是14世纪哥特艺术风格的典型体现。

刻、更直接的智慧，这是他们与南方同行们的唯一区别。

德国南部和西部的佛兰德斯式艺术家身处富庶之地，那里是沟通地中海与北海的著名贸易通道，他们的经济生活与意大利的同行们没有太大差别。随着著名的勃艮第公国的迅

解下十字架

油画　汉斯·梅姆林　1480—1490年　53.7cm×38cm　现存于西班牙格拉纳达礼拜堂

艺术家将视角聚集在耶稣被人解下十字架的那一瞬间，画面的主体是奄奄一息的耶稣，他无力地侧垂着头，目光无神、气若游丝，而三个搀扶他的人面容间的哀痛之情溢于言表。低矮、压抑的阴云下，十字架边的梯子附近充满着无限的悲伤，明亮的光线下耶稣圣洁的身体上深深的伤口和缓缓流出的鲜血更显得触目惊心。以无罪之身承担着世间一切罪恶的耶稣在画中体现得格外真切、悲壮，令世人震惊。

博士来拜

真蒂莱·达·法布里亚诺 1423年 300cm×282cm 现存于意大利佛罗伦萨乌菲齐美术馆

这是艺术家受佛罗伦萨当时的首富帕拉·斯特罗奇之托所绘的画作，画面中来自东方的三博士带领着随从前来朝拜刚刚出生的耶稣，由远及近人流涌动、盛况空前。在城堡之外，耶稣正在圣母的怀中俯身祝福跪拜在面前的老博士，一切都显得井然有序。然而，喧嚣的背后隐藏的却是中世纪贵族生活的奢华，贵重的服饰、异国风情的载具、众多的仆从……华丽非凡的哥特式穹形框架也为绘画的立体感和价值增色不少。

速崛起，并成为阿尔卑斯山到北海间领地的王者，佛兰德斯的布鲁日和根特成为中世纪后半期人尽皆知的制造业中心，他们奢华的流行需求为画家提供了世界级的资助。然而，远离基督教文化中心的北方人并不像意大利人那样习惯于教皇的统治，他们与南方同行们在精神上有着显著的差别。相对于意大利人来说他们普遍显得较为内向，更习惯于精神层面的探索，却时常在自我灵魂不朽的探索中迷失方向。

倘若你对《艾西斯的圣弗兰西斯》传记有过一点儿了解，那么现在尝试着解读托马斯·阿·康培斯的《相仿基督》就显得容易得多。就如同当你研究佛兰德斯画派早期作品和德国中世纪画派作品时，《康培斯的托马斯兄弟》要比《皮艾特罗·迪·伯纳尔德的儿子》更容易理解。南北方的绘画技艺在13世纪到15世纪都获得了逐步改进。北方人以发明将颜料与油调和的技艺为傲，而南方人则为首次运用透视绘画技巧而自豪。没有透视法的现代意义上的绘画是让人难以想象的。对于拥有着相同的信仰，为同一目标而奋斗的南北方画家来说，他们在精神上和艺术上有着共通之处，这让他们在彼此观赏对方作品时必然心有灵犀。

这一时期，画家能够切身体会到自己融入了整个世界文明之中。尽管在世界其他地方有着不同的文明，但是他们确信整个欧洲大陆的艺术领域都被踩在他们的脚下。忽略了种族特征使他们觉得自己是真正的世界公民。那时从布鲁日到佛罗伦萨要比现在从纽约往返于澳大利亚花费更多的时间，因此，他们或许不再受种族和国别偏见的限制，而具有真正的世界意识。

这种感觉一直存在于整个哥特时期，甚至文艺复兴时期一度达到了更高的程度。由于受某种邪恶精神的影响，之后在文艺复兴时期出现的民族歧视几乎一夜之间将中世纪留下的“天下基督教信仰者皆兄弟”的美好论调破坏殆尽。这一情况均能清晰地通过画家的作品与建筑师的作品突显在人们面前。而几乎比画家和建筑师晚了数百年才拥有自己独特风格的音乐家，在销声匿迹长达12个世纪以后才在艺术的舞台上重新找回自己的位置。为了了解15世纪中叶以后人类精神的发展变化，接下来我们的论述将从哥特时期转移到文艺复兴时期。

哥特时期

意大利

乔瓦尼·契马布埃（1240—1302）：

《圣母加冕》，阿西斯，洛厄教堂

杜乔·迪·博尼塞尼亚（1260—1319）：

《圣母子荣登圣座图》，锡耶纳，大教堂博物馆

乔托·迪·邦多纳（约1266—1337）：

《哀悼基督》，帕多瓦，阿雷纳礼拜堂

《圣弗兰西斯的葬礼》，佛罗伦萨，圣克罗斯

《与天使一起的加冕圣母》，佛罗伦萨，乌菲齐美术馆

西莫尼·马尔蒂尼（约1285—1344）：

《天使报喜》，佛罗伦萨，乌菲齐美术馆

《博士中的基督》，利物浦，皇家学院

彼得罗·洛伦泽蒂（活跃于1305—1348）：

《祭坛画》，阿雷佐，圣玛利亚教堂

安布罗乔·洛伦泽蒂（活跃于1319—1348）：

《庙宇中的神迹》，佛罗伦萨，乌菲齐博物馆

安德烈亚·奥尔卡尼亚（活跃于1344—1368）：

《祭坛画》，佛罗伦萨，圣玛利亚教堂

安吉利·达·菲耶索莱修士（1387—1455）：

《圣母加冕》，佛罗伦萨，圣马可

《最后的审判》，柏林，弗里德里克皇帝博物馆

《基督降生》，纽约，大都会艺术博物馆

比利时

休伯特·凡·爱克（1366—1426）：

《羔羊的崇拜》（由简·凡·爱克完成，根特，圣巴夫教堂）

简·凡·爱克（约1380—1441）：

《戴红头巾的男子》，柏林，弗里德里克皇帝博物馆

《琼·阿尔诺菲尼夫妇像》，伦敦，国家美术馆

罗吉尔·凡·德尔·韦登（约1400—1464）：

《基督下十字架》，马德里附近，埃斯科里亚尔

《天使报喜》，纽约，大都会艺术博物馆

德克·包茨（1410—1475）：

《祭坛画》，罗马，圣彼得大教堂

汉斯·梅姆林（约1430—1494）：

《圣凯瑟琳的婚礼》，布鲁日，圣约翰医院

哀悼基督

壁画 乔托·迪·邦多纳 约1305年作 200cm×185cm 现存于意大利帕多瓦市斯克洛维尼礼拜堂

幽暗的天幕下，一群圣徒聚拢在解下十字架的基督周围，沉重的压抑和悲伤浸透着整幅画作，人们可以清晰地分辨出每一个人物内心无尽的悲痛和率真的肢体语言。艺术家以其细腻的笔触向人们展示出不同人物真实的内心世界，而非简单地对人物痛苦的表情进行额外的雕琢，严谨、简洁的线条与神圣、肃穆的色彩为整幅作品奠定了清晰的基调，而巧妙的布局和暗示则向人们呈现出天国的哀伤和重生的希望。

身后人群中女眷们或充满爱怜，或失声痛哭，或寄托哀思，人物不同的情态与内心世界极好地补充和丰富了画作中哀悼的意境。

圣母玛利亚俯身扑在基督的尸身上，坚毅的面庞流露出无限的哀伤，她将基督搂在胸前，抿住的嘴角显露出内心强烈的克制之情。

两个穿着宽大斗篷的人物加重了整幅画作的沉重感，微躬的身体将基督的形象衬托得格外神圣，这种布局也使整个场景变得更加真实，将画面外的视线轻易聚拢到画面中基督和圣母之间来。

悲痛欲绝的天使们在半空中久久盘旋着，哭喊着将内心的悲伤释放在浓雾弥漫的天空中，和大地上寄托哀思的人们于动静之间呈现出天国与人间两种相互融合的哀伤。

如练的白光斜斜地铺在荒岭之上，从基督的头部延伸向天际，像一条通往天堂的路。寸草不生的岭脊，一棵光秃、凋敝的树，预示着死亡的空寂和悲伤，也暗示着新生的开始。

圣约翰张开双臂，眼含泪光，以一种几欲扑上却又凝滞的神情突显出对这可怕现实的难以接受和无比的悲恸。

静立一旁的犹太人尼哥底姆和亚利马太人约瑟则在哀痛中表现出独有的沉痛与节制，默默地将最深沉的哀伤压抑在心中。

抹大拉的玛丽亚则虔诚地平托起基督的双脚，久久凝视着脚面上深深钉透的伤口，啜泣着陷入沉思。

犹大之吻

壁画 乔托·迪·邦多纳 约1305—1306年 200cm×183cm 现存于意大利帕多瓦市斯克洛维尼礼拜堂

阴沉的天空下，空气中充满着剑拔弩张的火药气息，乔托用细腻的笔触勾勒出背叛时刻，光明与黑暗、正义与邪恶、正直与扭曲之间惊心动魄的缠斗。在耶稣的祷告、冥想之地客西马尼园，卑鄙的犹大以30块银币出卖了他的主，他带领着高层僧侣及其仆人、卫兵，以拥吻为暗号，指认并捉拿耶稣。充满戏剧性的场景中，作为矛盾冲突的焦点，耶稣与犹大一动一静站在纷杂的人物和器具旋涡中，传达着一种尖锐的对立和冲突。

耶稣平和而冷静地站在那里，略微俯视，锐利的目光似乎洞穿了背叛者犹大卑微、懦弱的灵魂。

代表着背叛之意的宽大斗篷几乎将耶稣完全掩盖，成为骚乱的场景中遮不住的冲突核心。

右侧急于将耶稣解救出来的圣彼得，在人群的推搡中抽出匕首，锋利的刀刃割掉了敌人的耳朵。

深蓝色的夜空和棕褐色的大地形成了强烈的视觉反差，突显了这一时刻沉重的晦暗氛围和纷繁纠结的压力。

黑暗中涌动的人群深处，刺向天空的火把、武器充分渲染了纷乱的场景与一触即发的“火药味”。

几乎处于同一水平线上的众多人物头像均以侧面呈现，人物复杂的表情和目光集中在画作的冲突中心，光明与黑暗、正义与邪恶之间，看似平静却跌宕起伏，暗流涌动。

犹大躬身抱住耶稣的肩膀，耶稣正义、威严又充满慈爱和怜悯的正视让他惊恐万分，全然不顾虚情假意的伪装已然暴露，阴险、卑微地欲亲吻耶稣，僵硬的肢体和紧张的眼神让所有人清醒地感受到背叛者的真身，以及即将发生的丑恶和悲壮。

高层僧侣卑微的身形则清晰地安置于整个冲突的靠外位置，一则极好地注释了犹大无耻行为的根源，二则突显出其充满敌意的冷漠和尖锐的对立。

阿尔诺菲尼的婚礼

油画 简·凡·爱克 1434年 82cm×60cm 现存于英国伦敦国家美术馆

华贵、典雅的房间中，一对步入婚姻殿堂的新人携手而立。作为一幅极具纪念意义和艺术价值的绘画作品，艺术家凭借着精致入微的笔触和对色彩出神入化的运用，将婚姻的最神圣的一幕和真正意蕴精妙地凝缩在绘画艺术当中。这是一幅社会上层名流婚庆的肖像绘画，也是对喜结良缘的当事人来说最值得回味与珍藏的“结婚纪念”，更是对人类结合后关于责任、告诫、祝愿的完美礼物。

乔凡尼·阿尔诺菲尼，富有的意大利商人，作为诺曼底的地方财政长官，通过税收聚集起可观的财富，他身上时髦的装束在当时的社会上层十分盛行。

橙色的橘子被人们当作“亚当的苹果”，暗示着罪恶之源的欲望，而在阳光下，通过基督教婚姻仪式的洗礼变得神圣而不可侵犯。

放置在地板上的拖鞋清晰而显眼，成双的拖鞋暗示婚姻，同时也暗示当事者双方皆赤脚站在这个举行宗教仪式的神圣地点，赤脚同样也寓意着多生多育。

活泼的小狗将这严肃的场景点缀得生动、富有情趣，小狗同时也暗喻着婚姻双方的忠诚。

精致、华丽的吊灯上银色的光晕如此真实，而单独的烛火平静地燃烧着，寓意上帝无所不在的眼睛见证着这神圣的一刻，并指引和赐予他们光明与幸福。

床幔暗示人生命的起始和终结的地方，华丽而舒适的床则暗示婚姻双方家境的殷实，红色则寓意激情与活力。

典雅的镜子周边装饰着十幅耶稣受难的组画，中间的镜子里真实地反射出房间中的环境和人物。艺术家对于光学效果的把握让人叹为观止，而镜子中除了两个当事人以外，也有着艺术家本人与另一个在场见证人的影像，这更加证实了这幅画作是一场精心安排的婚姻证明文件的判断。

相互挽起的双手寓意两个人的合二为一，丈夫托起妻子的手寓意包容与支持，而妻子手心向上则寓意爱情的忠贞不渝。

乔瓦娜·切纳米，意大利的名门富家之女，“门当户对”的观念促成了这段看似和谐的婚姻，象征着多产多育的绿色长裙精致而漂亮。夸张的腹部曲线并非怀有身孕，而仅是一种生育强盛的寓意和美好祝愿。

下十字架

油画 罗吉尔·凡·德尔·韦登 约1435年至1438年作 220cm×262cm 现存于西班牙马德里普拉多美术馆

在近似于十字架的狭小空间中局促地安置着十个人，艺术家正是借助这种方式营建起画面浓重的紧张感和压抑感。这幅精美的画作是一个三折圣坛装饰组画中位于中间位置的一幅，细腻的笔触和明快的色彩让整幅作品精美绝伦、和谐而富有韵律。

身穿红袍的圣约翰俯身搀扶着悲痛欲绝而昏过去的圣母玛利亚，肩负着耶稣殉难前照顾其母亲的重托，圣约翰眼含泪光，却又在竭力克制着内心的悲戚，面部的细节生动如真。

缠着白色头巾的圣母玛利亚因悲痛过度而昏厥，白色寓意着纯洁和无罪，玛利亚虚弱的身体、苍白的面容与耶稣绵软的身体、泛灰的面容形成良好的呼应，死亡与悲伤的主题以及两者之间暗藏表因果联系清晰地展露于外，让人深切地体会到玛利亚内心承载着与耶稣身体上承受着的同样的剧烈痛苦。

草地上亚当的头骨与耶稣合上的双眼对视着，寓意被钉死在十字架上的耶稣用自己的生命换回深陷亚当原罪中的世界，骷髅边生长的绿草则暗示大地上新的生机。

位于顶部的年轻人攀爬在梯子上，将耶稣从十字架上放下来，亚利马太人约瑟托着耶稣的遗体，看着耶稣柔软无力的肢体和触目惊心的伤口，一脸的悲悯和哀痛。

耶稣舒展的肢体与圣母玛利亚瘫倒后的肢体几乎一致，宛若挥动着翅膀飞向天国，光洁的身体上深深的伤口、清晰的血痕在白色的亚麻布间显得格外神圣而醒目。

深陷哀痛当中的抹大拉的玛丽亚，悲哀地紧握着双手，满含泪水躬身凝视着耶稣脚部钉透的伤口，与画作左侧的圣约翰形成良好的呼应之势。

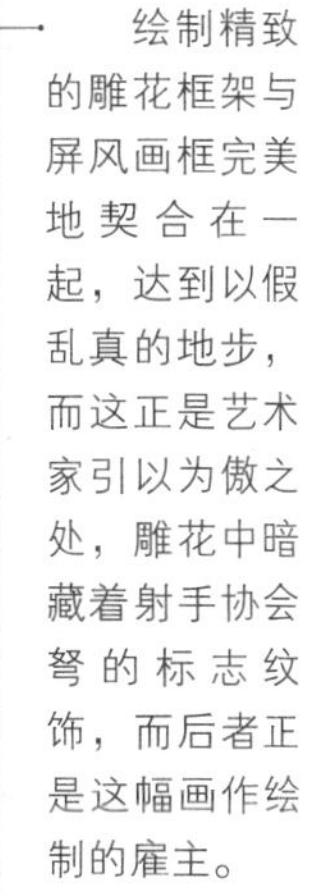

绘制精致的雕花框架与屏风画框完美地契合在一起，达到以假乱真的地步，而这正是艺术家引以为傲之处，雕花中暗藏着射手协会弩的标志纹饰，而后者正是这幅画作绘制的雇主。

耶稣低垂的右手无法触及圣母玛利亚无力的左手，暗示死亡与生命间无法逾越的间隔，流露出无尽的悲伤。

蒙难

油画 马蒂斯·格吕内瓦尔德 约1510年 269cm×307cm 现存于法国法尔马市翁特林登博物馆

黑幕笼罩的天空下，苍茫的海水吞噬着大地，基督被钉在沙滩上的十字架上奄奄一息，他的身体上遍布各种伤痕与酷似黑死病引起的绿色疖子。艺术家试图将现实主义元素融入宗教当中，告诉那些身染黑死病或陷入瘟疫恐慌中的人们，基督深知他们所承受的苦难，时刻与他们在一起，基督以他的身体和生命承载着世间的痛苦和罪恶，并赋予他们生的希望。

十字架顶端铭牌上的拉丁文字写的是拿撒勒的耶稣，犹太人之王。

圣母玛利亚望着眼前的惨状悲痛得昏厥过去，传道者圣约翰从身后搀扶住她，她悲伤的神情、苍白的面容让人清晰、真切地感受到苦难中所承受的不幸。

抹大拉的玛丽亚跪倒在耶稣面前，她仰起的布满泪迹的面庞与耶稣低垂下的头形成良好的呼应效果，似乎在暗示耶稣正为世人承受着苦难，而后者也将因此获得救赎和新生。

黑暗的天空背景和静静的海岸所呈现的正是一种面临恐惧和死亡的境地，这与当时欧洲爆发黑死病所带给人肉体与精神上的双重压力如出一辙。

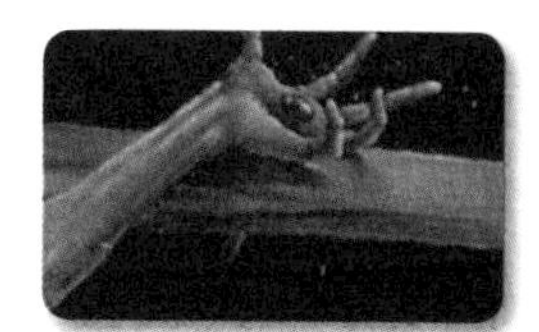

奋力挣扎着的手指将人体所承受的痛苦彰显得淋漓尽致，富有表现力的手势让人们清晰地体会到耶稣正承受着远远超出极限的苦痛。

画面中的人物尺寸比例有着显著的不同，其中殉难的耶稣最大，抹大拉的玛丽亚最小，这与画面中不同人物的地位和重要性紧密相关，这是一种典型哥特式风格所特有的比例效果。

画作右侧的施洗者圣约翰一手托着代表《圣经》的书，一手指着十字架上承受苦难的耶稣，他身后背景中的拉丁文字写着“舍己为人”。

上帝的羔羊背负着十字架，胸口汩汩流出的鲜血正流入圣杯，而这也在同时暗示耶稣正以同样流血、牺牲的方式拯救世人。

第四章

文艺复兴时期

一个新兴的非常富有的阶级在崛起，他们对艺术品有着一定的需求。于是，艺术家们在教会之外又找到了新的资助人。

当开往纽约的轮船抵达法国布伦港口时，船上从荷兰鹿特丹港口登船的旅客们对新登船的旅客不停地投去怀疑的目光。接着，从鹿特丹和布伦登船的旅客又会一同蔑视那些

基督受洗

版画 皮耶罗·德拉·弗兰切斯卡 1450年

167cm×116cm 现存于英国伦敦国立美术馆

画面中呈现的是基督在约旦河接受洗礼这一庄重肃穆的时刻，这是基督教最重要的仪式之一，接受耶稣为救主的受洗者通过洗礼来净化身上的罪恶，进而获得新生。耶稣站在画面的中心，圣约翰用碗将水浇在他的头上，三位天使神态自然地聚集在树下见证着这神圣的一刻，河床边的植物、即将流过耶稣脚下的河水都暗示一种新生的孕育和到来。整幅画运用几何的构图与众多垂直线条来烘托高远、肃穆之感，线状透视也是早期意大利文艺复兴的重要主题之一。

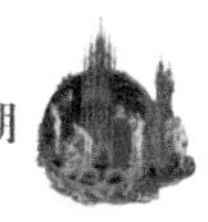

春

版画 桑德罗·波提切利 约1470—1480年 175.5cm×278.5cm 现存于意大利佛罗伦萨乌菲齐美术馆

在茂密、幽深的树林中，神态自若的美神维纳斯是生命之源与美丽的象征，在她右侧风神欲拥抱春神，衣饰华美的花神正将花瓣洒向大地。“欢悦”“贞淑”“华美”三位女神正在翩然起舞，而其中一位女神则充满爱意地望着最左方主神宙斯的特使墨丘利，蒙住双眼的爱神丘比特引箭欲射的姿态暗示着在这充满生机的春天里，一场如痴如狂的爱恋也正在萌发。静谧的氛围、优美的线条将女性的阴柔之美渲染得精美绝伦。

从英国南安普敦港登船的可怜旅客。到了第二天下午，从鹿特丹、布伦和南安普敦登船的旅客又会一齐对从爱尔兰库伯港登船的爱尔兰移民投去极度鄙视的目光。这种目光中的轻蔑、嘲弄、鄙视、厌恶、憎恨是远远无法用任何语言来描述的。

历史上移民的遭遇总是如此，后来人对先前人所做的事情总是抱着嗤之以鼻的态度。即便是在天真无邪的孩子看来，母亲珍藏在阁楼的高雅餐具也都是毫无价值的垃圾，父亲崇拜的小说家都是一些因循守旧、毫无新意的老古董。在长辈面前，后辈们总是想尽办法彰显自己行为、论调和习惯上的优越性。一种向下俯视的怜惜情感，总是在后辈回忆起先辈乘坐漂亮的旧式马车旅行、在优雅的乡下酒馆哼着快乐的曲子时油然而生。这个刚刚逝去的时代，高尚的思想难以为继，荒诞可笑的东西却是层出不穷。它仅仅是古典时代和古典精神重新焕发青春之前的一段序曲，毫无精彩之处可言，它被称为黑暗时代的中世纪。而所谓的文艺复兴时期则被后人看作人类文明的新生。

全世界的人都将文艺复兴时期视为一个具有重大意义的时代，这种历经文艺复兴时期

人的自我评价也受到了后人的一致肯定。

到底什么是文艺复兴？它更多地被看作一场承载着人们的思想、生活、饮食、绘画、情感以及音乐等方式变化的文化运动。虽然，相对于文艺复兴时期文化层面的变化来说，其他变化都是次要的。

这里的“人们”一词，如果套用亚伯拉罕·林肯所指“全部人口”的寓意，那么肯定会产生某些误解。众所周知，“人们”的概念是在近代才开始使用的。在15世纪，“人们”仅指占社会总人口百分之五的特殊阶层。他们富有，拥有着不同功用的客厅、餐厅、厨房和卧室，更从未体验过12个人挤在同一个房间里居住的窘境。这个初步享用着文明成

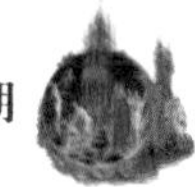

圣罗马诺之战

保罗·乌切洛 约1450年

182cm×320cm 现存于英国伦敦国家美术馆

这是一幅受佛罗伦萨美第奇家族之托，描绘1432年佛罗伦萨击败锡耶纳的圣罗马诺战役场景的画作。头戴红色金纹头饰的佛罗伦萨军队首领尼克罗骑着矫健的白马，在战场中心指挥若定、奋勇当先，盔甲、马具上大量贵重金属的使用使整幅画极具装饰性。空间透视及远近景的缩减法是这幅画的一大亮点，惨烈的战场却没有一丝血迹更加深了画作所烘托的庆祝、祭祀氛围。

果的中产阶级一旦崛起，便成为文明的携带者（借用医学的概念），他们对知识的尊重为后人带来了更大的利益。在过去长达600年之久的时间内，除了极少数从事文字和图书管理的修士进行某些读写和计算工作以外，长期统治世界的封建贵族们非常吝惜使用脑力。而终日与家禽打交道的农民蔑视知识，将知识视作异端的根源，更不会需要城里那些多余的装饰物。与此相反，现在的中产阶级经过多年时间终于发现支付信息费的重要性，他们深深懂得一个简单的化学配方（如火药的制造）与10座城堡和一万名铁甲骑士有着等同的价值。中产阶级追求知识的严肃认真态度，为自古罗马文明消失后陷于贫困潦倒境地的众多学者带来了新生。

越来越多的来自君士坦丁堡的难民不断向当地学者证实，旧的古典传统依然存在，那些中世纪早期的手稿依然静静躺在意大利的某个角落里。那些人们以为被焚毁的文明，在教堂、城堡、平民的阁楼或者修道院的图书馆中依然保存完好。那些多由罗马与希腊祖先直接抄写的古老原件，历经漫长霜侵虫蛀的岁月，却依然保存着文学、数学、物理学和哲学等从算术到动物学的每一学科的文明成果。在没有人认识到启蒙的必要性以前，这些人类的文明被看作无用、可遗弃的垃圾，就如同爱因斯坦教授关于相对论的书籍被丢弃在遥

地上的乐园

油画 希尔罗尼姆斯·博斯 约1500年 现存于西班牙马德里普拉多博物馆

艺术家以其丰富的想象力和夸张的手法向人们展示了人类世界的过去、现在及未来，充满着悲观主义的哀叹和道德说教。在左幅的天堂中呈现的是人类曾经的精神家园，上帝创造了世间万物和人类；中幅的人间则描绘了由天堂堕落至此的人类充满了无尽的欲望；右幅的地狱则暗示着被罚入地狱的人类永遭天谴和折磨。贯穿画作始终的原罪色欲主宰着人类的命运，告诫世人沉迷色欲的致命后果。

两个特使

油画 小汉斯·荷尔拜因 1533年 207cm×210cm 现存于英国伦敦国家美术馆

在被派往觐见英王的前夕，两位年轻的法国特使在绿色的帷幕前面色凝重，他们肩负着确保本国利益不被损害以及竭尽所能阻止英国从罗马教会脱离出去的艰难使命。在他们身边陈列着众多当时科学发展的重要标志——天体仪、地球仪、日晷、三角板、算术书等，天文、航海、科学的不断发现改变了基督教牢不可破的知识体系，政治、文化的双重危机让宗教改革成为必然。

远的太平洋荒岛上忍受海水的冲刷一样。

这些曾被埋葬的文明对于中产阶级来说，如同一个兵工厂，为他们与封建地主不可避免的斗争提供了各种武器。于是，在亚历山大大帝的暴徒谋杀了古希腊最后一个伟大的哲学家以后，在最后一个伟大的罗马数学家饿死在阿普利亚偏僻村庄以后，学者再次成为对社会有用的、被人尊敬的社会阶层。

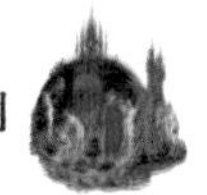

与此同时，印刷机的产生满足了社会对摆脱笨拙的人工作业、降低高昂的印制成本的迫切需求。一场使世人摆脱愚昧、为能读能写的人提供社会保障的伟大运动，在学者和出版商齐心协力的推动下方兴未艾。

需要注意的是，科学并非这场复兴古典文艺伟大运动的主角。社会中的少数人和今天一样，对科学深怀疑虑和畏惧。他们不愿看到，一个聪慧勇敢、具有一定物理知识的人，将世界从绝望和冷峻的困境中拯救出来，却将希腊大学的末路倒退回基督教统治以前的状态。相对于科学来说，文学所需克服的偏见却少之又少。尽管没有具体的卷数和作者，没有细致的分类和编辑，但是数世纪以来，新近显露出来的文学宝藏无一不被完好无损地保存下来。

尽管人们依旧是教会虔诚的追随者，但是在从1400年到1550年这段真正的文艺复兴时期，以中世纪为主题的艺术精神和表现手法在这150年间却迥然不同。资助人所欣赏的绘画

雅典学院

壁画　拉斐尔·圣齐奥　约1509年—1511年间　底长772cm　现存于梵蒂冈博物馆

宏伟的殿堂中，左侧壁龛上的太阳神阿波罗寓意着和谐和理性，右侧壁龛上的智慧女神密涅瓦则寓意着守护知识与和平。中间通道上以手指天的柏拉图与以手覆地的亚里士多德两大古典哲学巨匠似乎正在陈述着各自的观点，众多神态各异、姿态不一的人物和谐地分布在每一处角落。这是梵蒂冈主教签署厅四面墙壁上四大主题壁画哲学、神学、文艺、法律中的一幅，左下角露出的门框顶部则清晰地突显了这一画作的宏伟和壮丽。

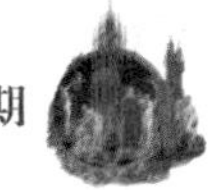

作品在不知不觉中左右了一些异教徒的格调，这些资助人并非通过土地所有权和教会的高级地位积累财富，而往往是通过商业和制造业。

故而，将陈旧的主题故事化是这个时期绘画艺术的特色。中世纪的使徒没有丝毫变化，不同的是他们竟与严肃的希腊哲学家展开了争论，他们同苏格拉底学派的哲学家讨论起了微妙的道德问题。如《苦难的花园》作品中描绘的宗教场景与柏拉图宣讲修辞学的橄榄园非常近似，而那些听众与神圣场景中顺服的角色却有着明显的差别。曾经作为背景出现在荒野里的树木和动物被转变为生趣盎然、备受关注的前景。色彩艳丽的服饰完全取代了从前男女修道院中色彩昏暗的服饰。这个阶层的人喜欢一掷千金，用钱把自己的外表装饰得足够奢华艳丽，他们也确实有这样的条件。

酒神与阿里阿德涅

油画 提香 约1522—1523年 175cm×190cm 现存于英国伦敦国家美术馆

在能望见海岸的一处高地，征服印度的酒神巴克斯乘着两头印度猎豹拉着的双轮车凯旋，欢庆的人们雀跃而舞，浓丽明快的色彩将喜庆、欢乐的氛围渲染至极。与画作右半部分的热闹、纷乱形成强烈对比的是画作左半部分——巴克斯在欢庆的场景中惊鸿一瞥，望见了弥诺斯王朝的公主阿里阿德涅，四目相交之际，炽烈的爱情之火就瞬间燃起，蓝色、白色、粉色、红色将这激情的时刻轻轻定格，强烈的视觉冲击力让观者久久沉浸在这充满自由与奔放的主题之间。

阿波罗与达芙妮

油画 安东尼奥·波拉约洛 约1470年 29.5cm×20cm 现存于英国伦敦国家美术馆

这幅画作取自希腊神话故事中的一则，清幽的天穹下被爱神丘比特捉弄的太阳神阿波罗如痴如醉地爱上了仙女达芙妮，为躲避这虚假爱慕的追逐，达芙妮请求天神的帮助，结果在阿波罗追上达芙妮的瞬间，天神将后者的身体变成了一株月桂树。艺术家以其细腻的笔触生动地描绘了两者在那一瞬间有着巨大反差的戏剧性表情，一边是眼看胜利到手的一脸错愕与惊诧，而另一边则是失败在即却露出胜利者的微笑。

于是在足够多的金钱的粉饰下，平民摇身一变，成为地球的统治者甚至是天堂的统治者，整个画面转变为一场声势浩大的节日庆典。

其实，相对于中世纪的艺术来说，文艺复兴时期的艺术更容易让我们理解。因为今天充满恐惧、兴奋、暴力和罪恶的纽约几乎就是15至16世纪的佛罗伦萨的翻版。此外，15至16世纪的佛罗伦萨人也有一些其他特征：那就是对自身罪恶的忏悔，喜欢尝试，对财富和表面的奢华永远充满充沛的激情和动力。令人欣慰的是，多数15世纪的人们将艺术视为卓越的、受神灵点化的魔术，并依然对其怀有敬畏之情。这让艺术家们有着更为广阔的创作自由和选择绘画风格的权利，至少没有很多人对艺术家们指手画脚。

时至今天，这种态度在美国依然盛行并受到认可。与二三十年前相比，人们愈发地认识到若想使城市比以往任何时候都瑰丽和谐，唯有赋予建筑师、画家和音乐家更广阔的自由和空间，通过各种方式激发他们对生活的感触，从而为这座城市带来新的希望和生机。

至于在文艺复兴时期的意大利和德国城市，人们若想获得赏心悦目的建筑风格，就必须给予建筑师充分的设计自由。绘画也是这样，其间场景只是一种充实的奢侈和适度的华

在以马忤斯的晚餐

油画 卡坦纳·温钦佐 约1520—1530年 130cm×241cm 现存于意大利佛罗伦萨乌菲齐美术馆

宁静、祥和的晚餐时光，进餐者、餐桌、台布、烛台、餐具甚至桌子下被其他事物吸引住注意力的小狗都如此的朴素、自然，唯有画面中间织花挂毯前端坐的基督在黄色凝重的光线中显得格外的清晰、庄重。挂毯精美的花纹似乎将人们全部的注意力都集中到这里，柔和的线条与浓烈的色彩对比使餐桌两侧的与餐者有着无法言喻的真实感，而远处仆人服饰的蓝色调又将画面的空间拓展得更宽更远。构图、色彩、光线的惊人发挥将这一时刻突显得分外饱满、真切。

暴风雨

油画　乔尔乔内　1505年　82cm×73cm　现存于意大利威尼斯学院美术馆

这是一幅极具争议的绘画作品，没有人能说清艺术家究竟想告诉人们什么。画作更多地致力于对风景的描绘，轻快的色彩将美丽的田园风光跃然纸面，一种怀旧的忧伤潜藏其中。天空中浓厚的乌云和明亮的闪电在告诉人们暴风雨正逼近这座荒凉的小城，废墟间寓意贞操与警惕的孤鹳静立在那儿，断柱旁一个看守者与右侧刚刚沐浴完毕的女子形成鲜明的对照，后者哺育着孩子，清澈的目光直视画面之外。无情的命运压抑着坚韧与仁爱，而远处城镇发射的明亮光线似乎又在告诉人们光明就在另一端。

美。这再次证明了，中世纪曾被束缚的思想获得了前所未有的解放，新文化精神融合了更为普遍的、世界性的、合理的观念迅速蔓延至旧大陆的每一个角落。

人类开始重新审视这个世界。人们依然坚信，在这个星球上度过的短暂时光仅仅是为了将来过上永恒幸福（或者苦难）生活的一种准备。尽管人生短暂，但仍有必要坚定终能脱离世间苦难、过上幸福生活的信念，尽可能以一种乐观的心境轻装前进。在我看来，这也就是哥特时期与文艺复兴时期绘画艺术的最根本区别。

在中世纪的最初阶段，即便是强势的统治者，也始终试图将自己描绘成圣徒的形象，但是现在，估计没有人会在乎圣徒是优雅而强势的统治者，还是富可敌国的商人。

这一时期，人们对上帝的虔诚和信仰丝毫不曾改变，只是他们也憧憬着能真正置身于那些华丽的生活场景之中。这些场景在历史时代中有着最为显著的特色，而生活在幸福憧憬中的人们成了新文明最好的见证者。

文艺复兴时期

意大利

保罗·乌切洛（1397—1475）：

《圣罗马诺之战》，伦敦，国家美术馆

马萨乔（1401—1428）：

《纳税的奇迹》，佛罗伦萨，卡米尼教堂，布兰卡奇小教堂

《逐出伊甸园》，佛罗伦萨，卡米尼教堂，布兰卡奇小教堂

菲利普·利比修士（1406—1469）：

《圣母、圣子和两天使》，佛罗伦萨，乌菲齐博物馆

《圣母加冕》，佛罗伦萨，乌菲齐博物馆

《圣母像》，佛罗伦萨，巴赫收藏

皮耶罗·德拉·弗兰切斯卡（约1416—1492）：

《费德利欧·达·蒙蒂菲尔罗夫妇像》，佛罗伦萨，乌菲齐博物馆

《复活》，圣斯波尔克罗

贝诺佐·戈佐利（1420—1497）：

《三贤士》，佛罗伦萨，里卡迪宫

安德利亚·德尔·卡斯塔尼奥（1423—1457）：

《尼克罗·达·托伦蒂诺骑士像》，佛罗伦萨，大教堂

安东尼奥·波拉约洛（1429—1498）：

《阿波罗与达芙妮》，伦敦，国家美术馆

金泰尔·贝利尼（1429—1507）：

《圣马克在亚历山大城布道》，米兰，布莱拉美术馆

《安德里亚·文德拉明总督像》，纽约，弗里克收藏

安东奈罗·达·美西纳（1430—1479）：

《年轻人》，纽约，大都会艺术博物馆

卡洛·克里韦利（1430—1495）：

《祭坛画》，伦敦，国家美术馆

《梨树女神》，纽约，巴赫收藏

科西墨·图拉（约1430—1495）：

《飞入埃及》，纽约，巴赫收藏

乔瓦尼·贝利尼（约1430—1516）：

《圣母与圣徒》，威尼斯，弗雷日

《生命之树的寓言》，佛罗伦萨，乌菲齐博物馆

《接触圣痕的圣弗兰西斯》，纽约，弗里克收藏

安德里亚·曼特尼亚（1431—1506）：

《三联画》，佛罗伦萨，乌菲齐博物馆

《冈扎格家族》，曼图亚，卡斯提洛

《圣母荣耀》，巴黎，卢浮宫

安德里亚·韦罗基奥（1435—1488）：

《圣母与两位天使》，伦敦，国家美术馆

卢卡·西纽雷利（1441—1523）：

《潘神学派》，柏林，弗里德里克皇帝博物馆

桑德罗·波提切利（1445—1510）：

《维纳斯的诞生》，佛罗伦萨，乌菲齐博物馆

《春》，佛罗伦萨，乌菲齐博物馆

《诽谤（阿佩利斯以后）》，佛罗伦萨，乌菲齐博物馆

《圣母颂》，佛罗伦萨，乌菲齐博物馆

皮埃罗·佩鲁吉诺（1445—1523）：

《基督受刑》，佛罗伦萨，乌菲齐博物馆

《玛丽与约瑟夫的婚礼》，凯恩艺术馆

多米尼克·吉兰达约（1449—1494）：

《牧者来拜》，佛罗伦萨，乌菲齐博物馆

《乔瓦纳·托尔纳波尼像》，纽约，摩尔根图书馆

列奥纳多·达·芬奇（1452—1519）：

《最后的晚餐》，米兰

《蒙娜丽莎》，巴黎，卢浮宫

《圣母与圣安妮》，伦敦，伯林顿

平图里乔（1454—1513）：

《亚历山大六世像》，梵蒂冈，波吉亚公寓

维托雷·卡尔帕乔（约1455—1526）：

《圣乌苏拉传奇（9个场景）》，威尼斯艺术学院

安布罗齐奥·达·普雷蒂斯（活跃于1472—1506）：

《年轻女子侧身画》，米兰，安布罗斯纳

伯纳迪诺·卢伊尼（约1475—1532）：

《圣母》，巴黎，卢浮宫

《圣母子》，米兰，布莱拉美术馆

米开朗琪罗·波纳罗蒂（1475—1564）：

《最后的审判》，梵蒂冈，西斯廷礼拜堂

《天顶壁画》，梵蒂冈，西斯廷礼拜堂

《圣家族》，佛罗伦萨，乌菲齐博物馆

提香（1477—1576）：

《圣母升天》，威尼斯，弗雷日

《巴克斯和阿里阿德涅》，伦敦，国家美术馆

《基督下葬图》，马德里，帕拉多

《阿里提诺像》，纽约，弗里克收藏

乔尔乔内（1478—1510）：

《乡村音乐会》，巴黎，卢浮宫

《圣母加冕》，卡斯特尔弗朗科

《吉卜赛人与士兵》，威尼斯，乔范尼莱宫

拉斐尔·圣齐奥（1483—1520）：

《西斯廷圣母像》，德累斯顿博物馆

《圣容显现》，梵蒂冈

《吉利亚诺·戴梅迪齐像》，纽约，巴赫收藏

安德利亚·德尔·萨托（1486—1531）：

《哈皮斯的圣母像》，佛罗伦萨，乌菲齐博物馆

科勒乔（1494—1534）：

《拉诺蒂》，德累斯顿

《圣母升天》，帕尔马大教堂

《达娜厄》，罗马，鲍格才家族画廊

帕里斯·博尔多内（1500—1571）：

《渔夫与总督》，威尼斯艺术学院

布龙齐诺（1503—1572）：

《携书的年轻人》，纽约，大都会艺术博物馆

丹尼雷·沃尔泰拉（1509—1566）：

《基督下十字架》，罗马

丁托莱托（1518—1594）：

《圣马可遗体的发现》，米兰，布莱拉美术馆

《银河的起源》，伦敦，国家美术馆

《寺庙中的神迹》，威尼斯，圣玛利亚

乔瓦尼·巴蒂斯塔·莫罗尼（约1525—1578）：

《裁缝》，伦敦，国家美术馆

保罗·韦罗内塞（1528—1588）：

《埃玛斯的晚餐》，德累斯顿博物馆

《卡那的婚宴》，巴黎，卢浮宫

《欧罗巴被劫》，威尼斯，总督宫

乔多·雷尼（1575—1642）：

《费布斯与奥罗拉》，罗马，洛斯比利奥西馆

比利时和荷兰

皮尔特·（大）勃鲁盖尔（约1525—1569）：

《收获者们》，纽约，大都会艺术博物馆

《冬天的景色》，维也纳，霍夫加里瑞尔

杰勒德·戴维（约1450—1523）：

《圣凯瑟琳的婚礼》，伦敦，国家美术馆

希尔罗尼姆斯·博斯（1462—1516）：

《三贤徒的爱慕》，普林斯顿大学

昆廷·马比斯（约1466—1530）：

《埋葬》，安特卫普，美术博物馆

简·德·马比斯（1470—1541）：

《国王们的崇拜》，伦敦，国家美术馆

卢卡斯·范·莱顿（约1494—1533）：

《下棋者》，柏林，弗里德里克皇帝博物馆

法国

让·富凯（约1415—1480）：

《法国查理七世像》，巴黎，卢浮宫

福兰克伊斯·克卢埃（约1510—1572）：

《瓦卢瓦的伊丽莎白像》，巴黎，卢浮宫

德国

马丁·施恩告尔（约1445—1491）：

《玫瑰花亭的圣母像》，科尔马

阿尔布雷特·丢勒（1471—1528）：

《亚当和夏娃》，马德里，普拉多美术馆

《自画像》，马德里，普拉多美术馆

《三贤徒的爱慕》，佛罗伦萨，乌菲齐博物馆

《玫瑰花环的盛宴》，布拉格附近，斯特拉豪修道院

卢卡斯·克拉纳赫（1472—1553）：

《巴黎的审判》，卡尔斯鲁厄

《萨克森的约翰像》，德累斯顿博物馆

马蒂斯·格吕内瓦尔德（约1480—1530）：

《伊森海姆祭坛画》，科尔玛

小汉斯·荷尔拜因（1497—1543）：

《迈耶家族的圣母像》，达姆施塔特，施罗斯加莱瑞

《伊拉斯谟像》，英格兰，朗福德城堡

《博尼费修斯·阿默巴赫像》，巴塞尔艺术馆

圣母领报

蛋彩画 弗拉·安杰利科

1434年 160cm×180cm 现存于意大利科托纳博物馆

典雅华丽的宫殿回廊中，有着金色羽翼的天使加百利正向童贞玛利亚传达她已被选为基督的母亲这件事，这幅精美的作品线条精致优雅、色彩绚烂斑斓，向世人完美地展现了基督教所崇尚的平和、澄明的境界。精巧的构思和细节有着大量的寓意，让人不得不对艺术家深厚的艺术功底和超凡的表现力大为叹服。

人类在欲望的诱惑中堕落，亚当和夏娃因原罪被逐出伊甸园，而耶稣的降生正是要将人类从原罪的苦难中拯救出来，赋予人们新的生机和希望。

天使加百利展开的金色翅膀有着细密的纹理和灿烂的光泽，作为上帝的首席信使，如此华美、炫目的登场更突显了信息的重要性。

回廊外是生机盎然的花园和草地，围篱和鲜花将亚当和夏娃走出伊甸园时脚下贫瘠、荒芜的土地清晰地划分开来，篱笆上一枝高贵的白玫瑰悄然绽放，象征着玛利亚的高贵与纯洁。

充满古典美的回廊建筑中，修长的廊柱，倒钟形的柱头并附有规则的装饰性叶片，显得格外典雅、华贵。

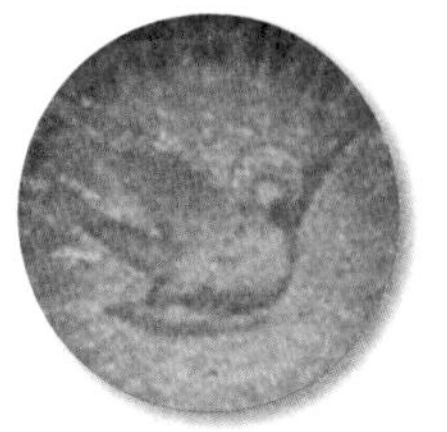

回廊中一只寓意圣灵的鸽子闪耀着金色的光芒在玛利亚的头上盘旋。

天使加百利说的话是：“圣灵将要降临到你身上，至高无上者的能力将庇护你。”

玛利亚双手交互按在胸前表示接受和服从，她的回答文字被倒写在画作中以易于俯视这一切的上帝看到：“我是主的使女，我愿意接受这一切成就在我的身上。”

宽大而柔软的蓝色斗篷被视为天国之后的标志，精致的金边纹路让玛利亚在朴素、典雅中彰显不凡，柔和的线条更突显了玛利亚柔弱的躯体，与她清秀、坚毅的面庞形成良好的呼应，坦露出她崇高的精神境界。

优雅而醒目的椅子花纹仍有着哥特艺术风格的痕迹。

三王来朝

壁画 乔托·迪·邦多纳 约1304—1306年 200cm×185cm 现存于意大利帕多瓦阿雷那教堂

山体旁边的木质天棚下，从东方远道而来的三位智者带着象征纯洁的金子、虔诚的乳香、苦难的没药来朝拜刚刚降生于世的救世主耶稣。典雅的笔触鲜活地再现了不同人物的情态和细微动作，艺术家真切细微地呈现出每个人的性格特征和内心世界，细腻的勾绘使每个人都活灵活现，如在眼前。

高大的骆驼暗示着三王来自神秘的东方，蓝色的眼睛虽与现实中的骆驼出入甚大，但眼睛中闪现着的愉悦光芒却使人倍感轻松，从而成为整幅画作带有庆祝色彩的注脚。

牵着骆驼的仆人充满警惕性地望着骆驼的动静，紧紧拉着缰绳以免打扰这一神圣的场面，而仆人朴素的衣着与画面中其他人服饰的华贵程度相差甚远，这足以突显其他人地位的高贵。

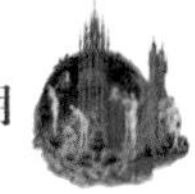

空旷、明净的蓝天中一颗硕大的流星拖着金色的光芒划过天际，它指引着三王循迹到救世主降生的地方。

背景处突出的山体显得稳重得体，挺拔地依靠在神圣家庭的背后，虽然没有什么特殊的寓意，但艺术家如此刻意的布局使画作的重心明显偏右，将人们的注意力拉近到神圣家庭的一侧来。

面色肃穆的天使手捧着三王供奉乳香的香料盒静静地站在一旁，雍容华贵的白色长袍有着与三王一般的精细花纹，低垂的裙摆与褶皱有着真实的体积感和重量感。

慈爱的圣母玛利亚坐在圣座上，她身上高贵的蓝色斗篷已经褪去了原有的色彩，裸露出曾经描绘的线条和轮廓。相对于简单的肢体细节描绘，人们的面部表情是艺术家更加注意的地方，精细的眉梢与眼部细节充分地透露出人物性格和背景。

谦卑的卡斯帕王跪拜在地上，抬起右手，欲亲吻救世主耶稣的双脚，他金色、华丽的王冠就放在他面前的台阶旁，艺术家以此突显耶稣“王中之王”的地位和无与比拟的神圣。

维纳斯的诞生

桑德罗·波提切利 1484年 172cm×278cm 现存于意大利佛罗伦萨乌菲齐美术馆

波光粼粼的海岸边，端庄、纯真的“爱神”维纳斯亭亭玉立地站在一个巨大的蚌壳上，用她的双手和长长的秀发遮掩住身体。风神和花神用温和的春风和漫天的花瓣将维纳斯吹送到爱琴海岸边，时序女神则为其披上粉红色的披风。优雅的线条使整幅画作充满了含蓄之美，作为神话中掌管爱情、美丽、欢乐和婚姻的女神，维纳斯忧郁迷茫的脸上写尽了艺术家对时代的怅惘与不安。

风神，曙光女神之子，他挥动着黑色的翅膀吹送着温和的春风，将维纳斯送到爱琴海岸边。

花神，被风神爱慕并劫持的山林女神，后对风神产生爱慕而成为他的新娘，升为永恒的司花之神。

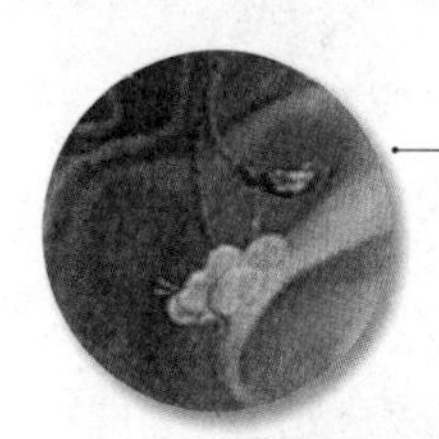

漫天飘舞的玫瑰，是“爱神”维纳斯的标志，有着美丽的外表与甜美的芳香，后成了爱情的信物，但玫瑰充满着诱惑的同时，遍身的刺也告诉人们爱情的苦痛与刻骨铭心。

摇曳的芦苇不仅装饰着画面的局部，更突显了维纳斯轻柔的肢体，飘逸的金发。

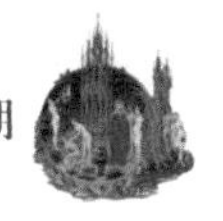

维纳斯站立的姿势借鉴了罗马雕像的构思，有着浓郁的古典韵味，迷离的目光、精致的鼻子、淡淡的嘴唇和优雅凸出的下巴呈现出一种超凡脱俗的自然之美。

金色的线条不仅勾勒出柑树林和白色碎花的轮廓，更使这些曾经平凡的事物笼上一层神圣的光泽，郁郁葱葱的枝叶成为维纳斯神迹显现时重要的见证。

优美的线条、简洁的轮廓和修长的肢体特征使人物充满着生命的活力。

时序女神典雅的白色长裙上刺绣着精致的矢车菊，长裙在春风中鼓动、飘起，充满着柔美之感，突显出维纳斯胴体的纯真与光洁。

蒙娜丽莎

油画 列奥纳多·达·芬奇 1505年 77cm×53cm 现存于法国巴黎卢浮宫

空间的错觉、充满魔力的眼神与神秘的微笑让这幅惊世之作成为世界上知名度最高的作品。这幅享有盛誉的人物肖像画名作让无数人为之倾倒，各种传说和猜测层出不穷。艺术家试图将优美的风景与端庄的人物融合在一起，进而展现出人物复杂的内心世界。众多细节的构思和描绘赋予画作更为深奥的内涵，而其中充满神秘感的完美微笑成为人们茶余饭后永恒的谈资。

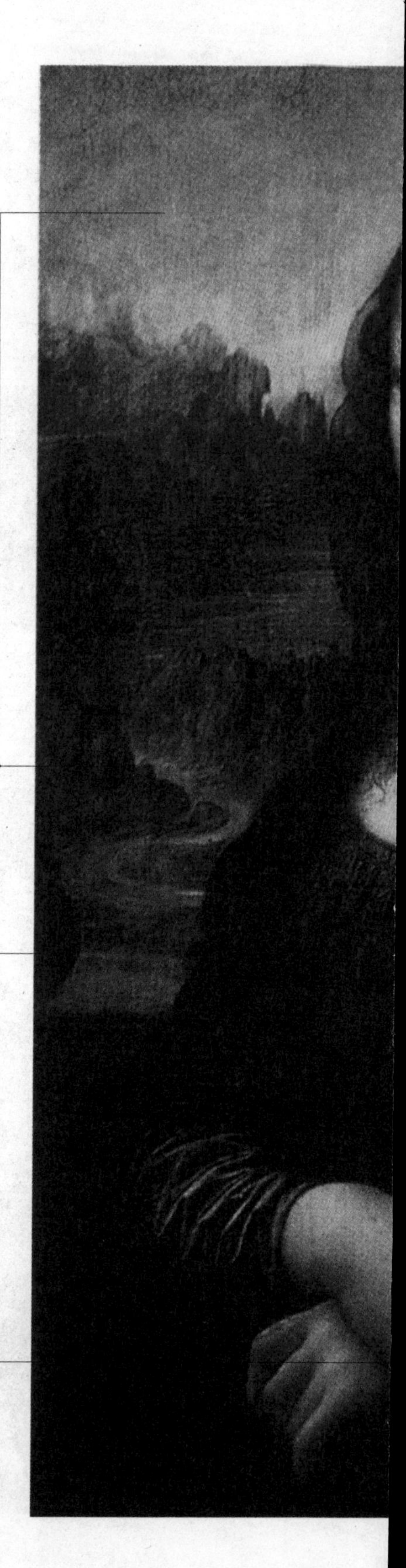

昏暗的背景中曾绘有广阔的蓝天，但现已褪去了它曾有的色彩。

山峰、岩石、河流、薄雾构成了充满着复杂寓意的背景，人物头部的轻纱和乌黑的发卷都绘制得精致、清晰，将人物的肖像与山水画巧妙地加以过渡与融合，从而呈现出一种超出自然的恬淡之美。

画作边际露出的廊柱与人物的肖像有一段距离，艺术家试图营造出一种由高处俯瞰的空间之感，同时将人物的肖像拉得更近，使观察者的视线更好地集中在画面的中间部位，从而成就了背景处人为造成的模糊视觉错觉。

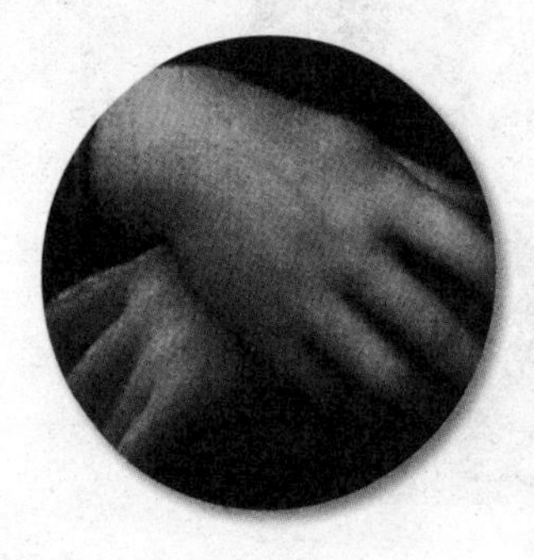

人物的肖像呈一个上尖下宽的金字塔形，使人物显得端庄、稳重，精准描绘的双手自然地搭在一起，丰满而柔美。局部光线的细节处理突显出艺术家敏锐的观察力。

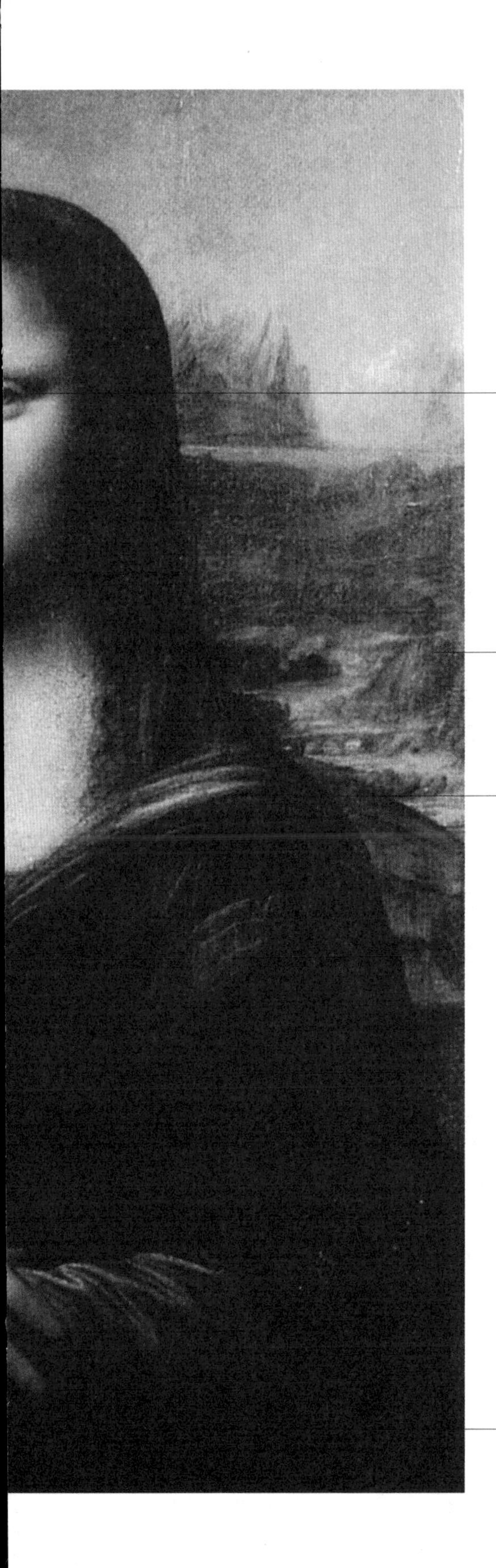

充满着含蓄意境的眼神有着若隐若现的淡淡笑意，大量琐碎的阴影效果让人们从不同的角度观察这双满含风情的眼眸时，她的嘴角微笑的幅度似乎无形中发生着动态的变化。

观察角度与地平线完全不一致的背景呈现出左低右高的效果，视角稍低的左边将人们的视线拉低，而视角略高的右边又将人们的视线升高，一拉一升之间视觉的错觉呈现出蒙娜丽莎充满着动感的神秘微笑。

艺术家不失时机地利用人物肩部丝巾的褶皱纹路来与背景处的大桥轮廓相融合，从而再次放大人物肖像，产生将其融入背景中的自然山色当中的神奇效果。

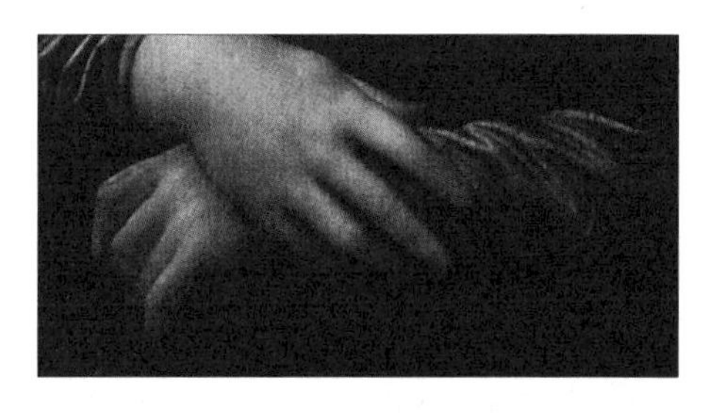

水平中略斜的椅子扶手让整幅画面变得更加接近观察者，且使人物身体与头部呈现一种微微的转动之感。

西斯廷教堂天顶画

壁画 米开朗琪罗·波纳罗蒂 约1508—1512年 现存于梵蒂冈西斯廷教堂

这幅宏伟、瑰丽的巨幅天顶画（局部）描绘的是《旧约·创世纪》中亚当和夏娃的故事，艺术家将其浓烈的宗教信仰全身心地融入这幅旷世杰作之中，完美地呈现了古希腊、古罗马文化深厚的底蕴和波澜壮阔之美。凭借着画家、雕刻家、建筑师等多重身份，米开朗琪罗花费了大量的时间和精力来完成这件巨作，足以让他一生为之自豪。

充满生机的伊甸园中，蛇妖盘绕的巨树将“因”与“果”的时空分割开来，却又彼此联系，蛇妖将代表欲望和原罪的禁果递给夏娃，而后者勇敢地伸手接受了这改变其命运的禁果。

身受责罚而被逐出伊甸园的亚当和夏娃一脸的落魄与无助，他们在大天使米迦勒的驱赶下步入荒凉的土地。

侧身守护着橡树枝和橡实的年轻男子似乎寓意着欲望、贪婪、自私与纷争，而这正是人类争斗、爆发战争的根源。

一个年轻英俊的男子静坐在那里，略微扭转的身躯与四肢呈现出人体雕塑般的美感，而陷入沉思的表情则赋予其更多的思想寓意。

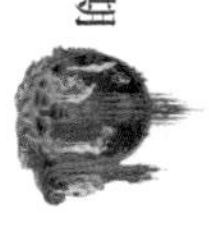

圆形雕饰则是对画作不完整的部分故事情节的补充说明。

呈现出怀疑神态的年轻男子，表现了人类思维方式的萌生和对旧有东西的勇于否定与背叛。

身体健壮的亚当卧倒在山坡上，柔美的肌肉线条充满着青春的活力，此刻他正在上帝的召唤下微转脖颈，眼中盛满渴望。

上帝在创世纪的第六天，趁亚当熟睡时，用亚当的一根肋骨创造了夏娃，新生的夏娃正在上帝面前鞠躬致谢。

转头注视着上帝创造亚当的一幕的年轻男子则暗示人类所固有的好奇心，而这是激发人类思考、创造，进而改变世界和命运的力量之源。

从天空中飞至的上帝在众多天使的簇拥中充满着慈爱与怜悯地将手指伸向亚当，神灵魂灌注的瞬间被完美地定格在那里。

第五章

巴洛克时期

在这个建立与展示权威的时期，人们借助艺术安全地揭示这个世界。

由于缺乏新韵律哲学的伟大领路者，至今许多人仍模棱两可地谈论着韵律，人们自然也就很难准确理解他们所谈论的内容。对于他们所表达的意思，我个人认为自己多少有过一些研究。他们认为世界（包括人的思想）始终处于变化的状态，这一论断同样适用于世

耶稣向圣彼得显身

油画 安尼巴·卡拉齐 约1601—1602年
77.4cm×56.3cm 现存于英国伦敦国家美术馆

明丽的乡村自然风光中，肩扛着十字架的基督在圣彼得面前显身，在被问及去往何处时，基督说："到罗马，我要再次被钉在十字架上。"基督的坚定、坦然与圣彼得惊诧的神态形成了鲜明的对比，艺术家以自然主义、古典主义相融合的特色来强调他对艺术的理解，坦荡而不做作的直率之风形成了其独有的绘画特征。

河边的牧人与牛群

油画 阿尔伯特·克伊普 约1650年 45cm×74cm 现存于英国伦敦国家美术馆

天高云阔的苍穹之下，远处的城镇和林木汇成淡淡的轮廓，平静的河边牧牛人和五头牛正在享受着这一时刻的宁静和祥和。河面上金色的霞光中白帆片片，近处的小艇上两个钓鱼者安逸地守候着他们的下一个目标。艺术家对光的感觉有着超乎常人的理解和执着，天空的云朵、水面的光影以及牛背的光泽在柔和的光线下呈现出一种让人赞叹的美，而这种以纯朴的感动烘托平凡生活中的美的手法正是巴洛克风格让世人倾倒的原因之一。

间万物。远在天边的星辰在未经训练的普通人眼中似乎是完全静止的，然而事实上它们却是在宇宙间移动不息的。于是，人们不断地观察、研究自然界的潮涨潮落、四季更迭、昼夜交替，试图从中找出小到分子大到高山的不断运动所遵循的规律。

通过著名画家的作品，这种发展变化对于钻研艺术的学生来说非常易于理解。中世纪的人们几乎完全抛却了世俗利益，将绝大多数的精力投入到关注永恒的宗教事务上来。文艺复兴时期的人们逐步淡化了自身的精神价值，转而关注周围的物质世界，倾向于通过日常生活中美好事物的享受来获得各种愉悦。人们尝试着到更远的异地，去中国感受文化，去印度探寻宝藏；他们在早已被人遗忘的非洲海岸和今天被称为美洲的新大陆上探索；他们通过海上航道的香料贸易聚敛起大笔的财富。他们在安稳、自闭的狭小圈子里折腾了数个世纪，急于从每日的粗茶淡饭、居所的阴冷简陋中挣脱出来。他们展现出前所未有的“热情”，掠夺远方的财富，享用丰盛的宴席，一头扎进奢靡生活里醉生梦死。

也许有的人对于这种生活态度不以为意。但是要知道，终究是因为各色人群的共存，这个世界才被赋予如此多的色彩和魅力。原本这个世界上就有着这样两个群体：一类人能在摆满色彩缤纷的织锦和雕花家具的典雅大厅中，从精美的图画、漂亮的妇人、美妙的音

诗琴演奏者

油画 卡拉瓦乔 约1596年 94cm×120cm

晦暗的房间中，一个年轻人双手抱着一把典雅的诗琴幽幽地弹唱着，微微的鬈发、红润丰满的肌肤、拨动的手指在暖暖的光线下呈现出一种女性的柔美之感。桌边的玫瑰、百合、雏菊以及散落在桌面上的水果在黑暗中散发着甜甜的香，柔和的光线照在演奏者、琴以及桌上的乐章上，红润的嘴唇忧伤地低唱，在旋律与光的流动中，美好的青春如鲜花、水果般渐渐凋零消逝，唯有艺术在时空的尘埃间熠熠闪光。

乐中获取巨大的愉悦；另一种人，即便是置身于摆满色彩缤纷的织锦和雕花家具的典雅大厅中，也会对精美的图画、漂亮的妇人视若无物，对美妙的音乐充耳不闻，他们与世俗之乐清楚地划分开来，他们更愿意以一种违背世俗的方式获取真切的幸福体验。然而，这正是世界韵律所呈现出的一种必然。所以，背叛禁欲主义道德、始终追寻完美幸福的倾向，在历经漫长的中世纪精神统治后逐步走到了前台。

这些时期出现的圣彼得大教堂和意大利宫殿给后人留下了完美的印象。世人在其生活的星球上以建造这些天堂的替代品来满足对天堂的强烈渴望。在接下来的整个时期，世人也开始比此前的任何时候都更加执着于对自我心灵的探求。宗教改革出现的时机如此出人意料、威力如此惊人，这种超脱世俗的新精神的具体表现几乎以摧枯拉朽之势将教会和社会的组织结构彻底颠覆。在经受住强烈的冲击之后，像教会这样经过数世纪小心谨慎建立

起来的组织却显示出足够的韧性，并未因此被时代湮没。宛如被一记重拳击中，教会并未在踉跄中倒下，而是暗聚起所有的力量酝酿着一次强有力的反击。它深深感到，这场由一个叛逆的法国修道士忠于自己的信仰、不愿向自己的信仰妥协而引起宗教改革绝不仅仅是出现在局部地区的少数个案。面对教会所失去的领地（包括北欧的绝大部分），如果想收回它们，一场格外谨慎而漫长的全线战斗将无法避免。为此，妥善处理好内部事务，实施必要的改革就成为迫在眉睫的任务；其次，还要千方百计笼络以前信仰基督教而现在故意反对它的人，要重获他们的信任与支持。武力可以夺取善良的人的生命，但却无法奴役人的精神，因此单凭强大的军队和获得诸侯的支持远远不能主宰这场斗争的胜负。教会急需重建稳固的联盟，竭力发展忠诚的追随者，这让艺术家有了大展拳脚的可能。艺术家们从未感到自己的存在竟对他人如此重要，更何况还可从中获得丰厚的物质回报。于是，“巴洛克时期”以这样一种方式欣然登场。米开朗琪罗（如果一个名字可以帮助你记住这个重

所罗门之梦

油画 卢卡·焦尔达诺 约1693年 245cm×361cm 现存于西班牙马德里普拉多美术馆

画作中艺术家呈现的是年轻的所罗门国王躺在华美的床榻上，梦见众多天使簇拥着上帝漂浮在云端，并给予他智慧之光。而智慧女神密涅瓦一手抱着小羊，一手持盾守护着他和他身后雄伟、壮丽的耶路撒冷神殿。浓丽的风格赋予画作史诗般的浑厚、壮美，光线强烈的明暗对比让整幅画面更具表现力，充斥着浓郁的巴洛克晚期风格。

圣哲罗姆和天使

油画 雷尼·古伊都 约1640—1642年 198cm×149cm 现存于美国底特律艺术中心

在简陋的洞穴中，以博学和雄辩著称的圣哲罗姆倚靠在洞壁的边缘，聚精会神地将《圣经》翻译成拉丁文字，在他遇到困难之际，一位天使翩然出现在他的面前，启发并协助他完成余下艰巨的译制。圣哲罗姆花白蓬乱的须发、松弛的肌肉烘托出重任的艰巨和他性格的坚韧伟大，而鲜红的袍子则和天使纯白的衣衫形成强烈的视觉反差及韵律，背离洞口的明亮光线则使《圣经》、圣哲、天使身上呈现强烈的神化共鸣，烘托出这一传说故事的神圣与壮美。

圣特丽莎的狂喜

雕塑　贝尔尼尼　约1646—1652年间　高350cm　现存于意大利罗马维多利亚圣母堂

艺术家以其细腻的手法、极富夸张的人物情态向人们展现了身处幻境中的圣特丽莎看见一个天使用金色的尖矛刺中她的心，她沐浴在万丈圣光之中的肉体与精神获得了最让人难以言喻的陶醉。这座大理石雕像人物的神情生动、自然，充满了生命力，极富戏剧性的感情与动态使其无处不彰显着巴洛克精神的精华。艺术家成功地将建筑、雕塑和绘画艺术巧妙地融为一体，细腻地表现了人物瞬间呈现的情感和精神状态。

要时期的话）是巴洛克时期第一位杰出的名家。他1564年离世，当时宗教改革基本上已经持续了半个世纪。巴洛克风格在欧洲、美洲以及新大陆的西班牙殖民地中非常盛行，一直持续到18世纪末。不过，在1700年，人们意识到只有相互妥协才能结束两股相反力量（教会和宗教改革）的冲突时，巴洛克时期就走向末路了。然而在那一个半世纪的时光中，人们可以从每座建筑物、每部音乐作品和每幅绘画中感受到浓郁的巴洛克风格。以富丽堂皇的方式带给观者和听者浓烈的感官刺激，这是巴洛克风格最显著的特征。尽管文艺复兴时期这一形式也曾大行其道，即便是散步、吃饭、跳舞甚至是招待宾客的平凡事务，也总能让人们清晰地感到自己正扮演着一个身处盛大庆典中的角色。而今对于演员们来说，改变的仅仅是舞台的背景和崭新的台词，表演依然在喧闹奢华中继续，然而却少了那么一点儿威廉·莎士比亚爵士所处时代里人们心中极为可贵的幽默调味。

人们将会注意到那个时期的绘画所反映出来的变化。也就是这些变化导致了所谓的巴洛克风格传播得如此神速，我们在欣赏这些绘画时一定要牢记这一点。当宗教改革在欧洲大陆风行时，一个政治上的新变化得以萌生，这就是民族主义。相信我比其他人对这个词有着更多的了解。不同于今天带有种族意味的现代民族主义，这是由几个相互竞争的王朝创立的民族主义，并且他们正在为此跃跃欲试。

中世纪以来统治人们思想的帝国（包括世俗与神学）在宗教改革中轰然倒塌，整个欧洲的版图被分割为一个个有着各自独立教堂和教义的小区域，雄心勃勃的统治者和政客们终于等到机会可以实现他们在中世纪曾多次试图尝试却没有成功的夙愿。

于是，他们紧绷起每根神经，在各自的辖区内试图建立高度集权的王国或公国。为避免令人嫉妒的邻国变得过于强大，他们处心积虑、竭尽所能，搬开所有阻碍他们实现野心的绊脚石。南欧的人们依旧保持着对古老信仰的忠诚，在共同利益的驱动下，教会和君主很自然地在反对异教徒和叛逆者的战斗中站到了一起。在昔日的世界教会之首——西班牙，当代大师在其绘画作品中将巴洛克精神渲染得尤为显著。他们不惜花费高昂的代价，倾注所有来赞美教会和王朝，维持两个世纪前的社会状况，但仍难逃王朝最终颠覆的结果。

不可否认，17世纪的绘画艺术对艺术与生活间的脉络把握十分清晰，对当时时代精神的展现非常准确。承担了同北欧新教国家进行斗争重任的低地国家，经历了残酷的交锋后，终于摆脱了西班牙的束缚。因而，巴洛克风格的痕迹在他们的建筑中难觅踪影。他们未经巴洛克时期的过渡，一举完成了从文艺复兴时期风格到洛可可时期风格的跨越。

朱迪斯与荷洛费内斯

油画 真蒂莱斯基·阿特米西亚 1620年 199cm×162.5cm 现存于意大利佛罗伦萨乌菲齐美术馆

艺术家通过这幅画作向人们呈现了古犹太女英雄朱迪斯将荷洛费内斯的头颅割下时的瞬间，坚毅的神情和有力的动作将朱迪斯无可动摇的决绝显现无疑。高度强烈的光线将这一幕与其他幽暗的空间清晰地分割开来，完美地烘托出这一幕的紧张感。红色的天鹅绒床罩和雪白的床单则让画面的整体色泽无比饱满、明晰，充满着戏剧化的夸张和构图，迸溅的血液更让这幅作品无比触目惊心。

苏珊娜与长老

乔多·雷尼 约1600—1642年

117cm×150cm

艺术家以其浓丽的色彩重现了《圣经》中犹太女子苏珊娜与两个好色长老之间的戏剧化场景，晦暗的背景暗示这一幕的卑劣行径，两个贪恋女色、觊觎苏珊娜已久的长老低俯着身体逼迫她就范，然而苏珊娜却在无耻的骚扰中表现出生动的鄙夷和义愤之情。明亮而柔和的光线清晰地将长老与苏珊娜隔离开来，表现出在戏剧化的矛盾中双方地位和精神上崇高和卑劣的鲜明对比。

台阶上的圣家族

油画　尼古拉·普桑　1648年　68cm×98cm　现存于美国华盛顿国家艺廊

雄伟的宫殿一角，圣母玛利亚拥着怀中的圣子耶稣，而耶稣的堂兄施洗约翰及其母亲圣以利沙伯正将全部视线聚集在耶稣身上。约翰将象征堕落即可获得救赎的苹果赠予耶稣，连续的垂直线与水平石阶让整幅作品有一种升腾之感，充斥着强烈的精神力量。坐在阴影中的圣约瑟似乎若有所思，一道明亮的光线斜掠过他的脚踝，画作中朴素的视觉之美将古典主义风格渲染到极致。

乌尔班八世时代的荣耀

壁画　彼得罗·达·科尔托纳　约1633—1639年作　现存于意大利罗马巴尔贝里尼宫

这是一幅悬在意大利罗马城最金碧辉煌的皇宫天花板上的巨作，用以突显巴尔贝里尼家族的辉煌和强盛。旋涡形的造型轻易地将观察者的注意力集中到天使送达的罗马教皇的三重冠和圣彼得的钥匙上，寓意这个显赫的家族中曾有一名成员担任教皇之职。绚烂的色彩和复杂的线条构成的视觉幻象使这幅伟大的杰作宛如在天空中铺展，这种“仰角透视”的技巧正是巴洛克时期天花板装饰的一大亮点之一。

不过，他们从古老的统治中获得的解放是如此彻底，这种特征在他们的绘画作品中俯拾皆是。他们承袭了中世纪佛兰德斯派精湛的绘画技巧，而于此时却将其应用于一种全新的、简单的、朴素的主题上，从而赢得了商业社会中拥有品位和金钱的中产阶级的青睐。以前这些中产阶级从未考虑过购买绘画作品来装饰房间或从事投资。

对于他们的邻居德国来说，那里的艺术发展显然不容乐观。这个国家中世纪建立起的繁荣，在30年战争（从1618年延续到1648年的宗教战争）中被摧毁殆尽。不仅仅是绘画，人们面对任何形式的艺术欣赏都囊中羞涩。尽管从中世纪慢慢崛起的英国对其他艺术形式兴致盎然，却缺乏极具绘画天赋的人才。为王朝内部集权问题而焦头烂额的法国，也对绘画艺术的复兴准备不足。普遍看来，巴洛克时期的绘画艺术在低地国家和西班牙以外地区的表现并不突出。在那个战乱不休的年代，充斥着太多的暴力气息，战争带来的苦难境地和方向全无的窘迫感致使画家难以创作出杰出的作品。

巴洛克时期

荷兰和比利时

彼得·保罗·鲁本斯（1577—1640）：

《下十字架》，安特卫普，大教堂

《草帽》，伦敦，国家美术馆

《三女神》，马德里，普拉多美术馆

《伊莎贝拉·布朗特像》，慕尼黑，大皮纳克泰克

弗兰斯·哈尔斯（约1580—1666）：

《微笑的骑士》，伦敦，华莱士收藏

《欢乐的伴侣》，纽约，大都会艺术博物馆

安东尼·凡·戴克爵士（1599—1641）：

《圣·马丁分衣》，伦敦，国家美术馆

《莱诺克斯的詹姆斯·斯图尔特公爵像》，纽约，大都会艺术博物馆

《玛利亚·路易斯·凡·塔西斯像》，维也纳，列支敦士登美术馆

伦勃朗·哈曼佐恩·凡·吉恩（1606—1669）：

《夜巡》，阿姆斯特丹，国立美术馆

《解剖课》，海牙，毛里茨海斯美术馆

《耶稣在埃玛斯》，巴黎，卢浮宫

《亨德里克·斯托斐尔斯像》，纽约，大都会艺术博物馆

杰勒德·道（1613—1675）：

《肥胖的女子》，巴黎，卢浮宫

杰勒德·泰尔博赫（1617—1681）：

《明斯特的和平》，伦敦，国家美术馆

《打翻葡萄酒的女人》，纽约，大都会艺术博物馆

菲利普·沃弗尔曼（1619—1668）：

《终止》，纽约，大都会艺术博物馆

阿尔伯特·克伊普（1620—1691）：

《与男孩和牧人在一起的骑士》，伦敦，国家美术馆

《牧牛景色》，纽约，大都会艺术博物馆

保罗·波特（1625—1654）：

《牛犊》，海牙，毛里茨海斯美术馆

简·斯滕（1626—1679）：

《乡村医生》，布鲁克林博物馆

《王子生日》，阿姆斯特丹，国立美术馆

雅各布·凡·雷斯达尔（约1628—1682）：

《毁灭的景色》，伦敦，国家美术馆

《多伦特山》，纽约，大都会艺术博物馆

皮特·德·霍赫（约1629—1677）：

《拜访》，纽约，大都会艺术博物馆

简·弗米尔（1632—1675）：

《信》，阿姆斯特丹，国立美术馆

《代夫特风景》，海牙，毛里茨海斯美术馆

《沉睡的姑娘》，纽约，大都会艺术博物馆

尼古拉斯·马斯（1632—1693）：

《摇篮》，伦敦，国家美术馆

《论恩典》，巴黎，卢浮宫

米恩德特·霍贝玛（1638—1709）：

《密德哈尼斯大道》，伦敦，国家美术馆

美国

约翰·辛格尔顿·科普利（1737—1815）：

《查塔姆之死》，伦敦，国家美术馆

《约翰·汉考克的画像》，波士顿，艺术博物馆

吉尔伯特·斯图尔特（1755—1828）：

《乔治·华盛顿像》，波士顿，艺术博物馆

《华盛顿像》，费城，宾夕法尼亚艺术学院

英国

彼得·莱利爵士（1618—1680）：

《宫廷美女系列像》，伦敦附近，汉普顿科特宫

《克利兰德公爵夫人像》，纽约，大都会艺术博物馆

戈弗雷·内勒爵士（1646—1723）：

《玛丽·伯克利女士像》，纽约，大都会艺术博物馆

威廉·贺加斯（1697—1764）：

《自画像》，伦敦，国家美术馆

《捕虾女》，伦敦，国家美术馆

乔舒亚·雷诺兹爵士（1723—1792）：

《纯真年华》，伦敦，国家美术馆

《扮作悲剧女神的希登斯夫人》，加利福尼亚，圣马里诺，亨廷顿画廊

托马斯·庚斯博罗（1727—1788）：

《忧郁的男孩》，加利福尼亚，圣马里诺，亨廷顿画廊

《希登斯夫人像》，伦敦，国家美术馆

乔治·罗姆尼（1734—1802）：

《扮作酒神的汉弥尔顿夫人》，伦敦，国家美术馆

《高尔半岛的孩子们》，伦敦，国家美术馆

亨利·雷伯恩爵士（1756—1823）：

《自画像》，爱丁堡，国立美术馆

托马斯·劳伦斯爵士（1769—1830）：

《自然》，纽约，大都会艺术博物馆

《小手指》，加利福尼亚，圣马里诺，亨廷顿画廊

法国

尼古拉·普桑（1594—1665）：

《盲人奥瑞恩》，纽约，大都会艺术博物馆

《惊奇的维纳斯》，伦敦，国家美术馆

《花神的胜利》，巴黎，卢浮宫

克劳德·洛林（1600—1682）：

《风景》，纽约，大都会艺术博物馆

意大利

安尼巴·卡拉齐（1560—1609）：

《凡尔赛宫壁画》，罗马

米开朗琪罗·梅里西·德·卡拉瓦乔（1569—1609）：

《玩纸牌的人》，罗马，希拉宫

《马耳他骑士像》，巴黎，卢浮宫

《埃玛斯的晚餐》，伦敦，国家美术馆

卢卡·焦尔达诺（1632—1705）：

《朱迪斯的故事》，那不勒斯，圣马蒂诺

乔瓦奈·巴蒂斯塔·提埃波罗（1696—1770）：

《圣家族》，威尼斯艺术学院

《锡耶纳的圣凯瑟琳》，维也纳，皇家画廊

西班牙

多米尼克·西奥多卡普里，以埃尔·格列柯闻名于世（约1548—1614）：

《奥尔加斯伯爵的葬礼》，托莱多，圣多美

《圣莫里斯与底比斯传奇》，马德里，埃斯科里亚尔

《托莱多风景》，纽约，大都会艺术博物馆

弗朗西斯科·德·苏巴朗（1586—1662）：

《崇拜圣托马斯·阿奎那》，塞维利亚，地方博物馆

乔斯·里贝拉（1588—1656）：

《哀痛地抱着基督尸体的圣母玛利亚》，伦敦，国家美术馆

《玛丽·马格德林》，马德里，普拉多美术馆

迭戈·罗德里古斯·德西尔沃·贝拉斯克斯（1599—1660）：

《奥地利的玛丽安娜像》，马德里，普拉多美术馆

《酒神巴克斯》，马德里，普拉多美术馆

《布列达的投降》，马德里，普拉多美术馆

《侍女》，马德里，普拉多美术馆

巴托洛米·伊斯特本·穆立罗（1617—1682）：

《清净受胎》，巴黎，卢浮宫

《维兰纽瓦的圣托马斯分发捐赠物》，塞维利亚，地方博物馆

弗朗西斯科·乔斯·德·戈雅·露西恩特斯（1746—1828）：

《曼纽尔·奥斯里奥·德苏尼戈先生像》，纽约，巴赫收藏

《卡洛四世家族》，马德里，普拉多美术馆

《斗牛》，纽约，大都会艺术博物馆

静立在一旁的店主人一脸错愕，他并不认识耶稣，也难以从这让人瞠目结舌的情景中发现一丝线索，他平静、漠然的神态与两位追随者震惊的表情形成鲜明的对比。

以马忤斯的晚餐

油画 卡拉瓦乔 1601年 141cm×196cm 现存于英国伦敦国家美术馆

殉难的耶稣重生以后，在前往以马忤斯的村子途中路遇两位追随者，然而直到他们在村子中的客店中歇脚、进餐时，两位追随者才恍然发觉这个与他们同路而来的“陌生人”竟是耶稣。艺术家以一种写实主义手法来呈现这幅充满着戏剧性的场面，所有的人物特征都与现实相差无几，明快的色彩和明暗光线让这惊人的神迹仿佛就出现在观者的面前。

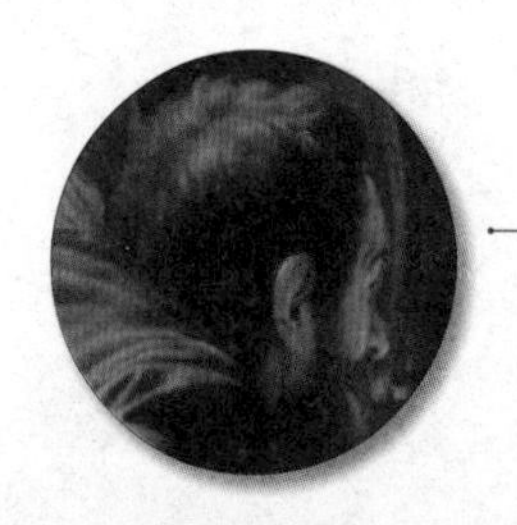

革流巴发现眼前的陌生人竟是耶稣时，惊讶之情溢于言表。他将身体缩进椅子，探着头，睁大眼睛，虽然艺术家只绘制了他的侧面，但从面颊的轮廓中可以轻易看出他张大的嘴巴。

金色面包的细节处理得极为精细，对于静物逼真的表现是卡拉瓦乔的拿手本领。在基督教的圣餐礼中，面包和葡萄酒分别象征耶稣的身体和血液。

耶稣背后的墙壁上有着一个明显的阴影，他的身体似乎从墙壁的阴影中探出来，既表达了耶稣从黑暗之中获得了重生，又表现了一种时间与空间上的交错感。

画作中唯一正面呈现的耶稣恬静而自然，他按着惯例做着祝圣的手势，一张平凡的面孔将神的形象更亲切地呈现到人们面前，但这种没有胡须的耶稣形象也让当时多数人难以接受。

粗糙的大手伸展着似乎要伸出画面之外，透视法缩短线条的技术增添了画面的真实感。

位于餐桌边缘的水果盘显得极为不稳定，艺术家以透视法缩短线条逼真地再现了水果的真实感，苹果上的斑点暗示人类的原罪，而饱满、裂开的石榴则寓意耶稣战胜罪恶、获得新生。

宫娥图

油画 迭戈·罗德里古斯 1656年 318cm×276cm 现存于西班牙马德里普拉多博物馆

柔和的光填满空旷的画室，西班牙国王菲利普四世的小女儿玛格丽特公主文雅地站在画板前，画作中几乎所有人的视线都集中到画面之前，直到人们发现背景中墙壁镜子里映出的国王和王后的影像，才终于明白作品的意境。艺术家用精巧的构图将画作的内与外关联起来，赋予了画作鲜活的生命力，对于光影效果的呈现也突显出艺术家高超的功底和敏锐的观察力。

高大的画板竖立在画作的左侧，简洁如实的线条与屋顶、墙壁形成良好的视觉呼应，与右侧的人物形成较好的平衡效果，半幅画板更能轻易地展现场景的真实感。

艺术家巧妙地将自己的肖像安置在画面当中，他拿着调色板平静地望着画外，右手的画笔似乎正在娴熟地移动，华丽的色彩、流畅的线条让其引以为傲，而他胸前的圣詹姆斯十字勋章更是其毕生最大的自豪与荣耀，很少有人能获得如此殊荣。

左边的宫娥跪下来，用金色的托盘呈上装着冷香水的红色陶罐，人物的面部、肩部、手部不同的光线效果，细腻而逼真。

似乎有些任性的玛格丽特公主金色的长发，充满童真的面庞，小巧的鼻子和微昂的下颌突显出小公主的高贵与自傲。艺术家以其敏锐的观察力，再现了小公主成熟、端庄外表的同时，亦彰显了她作为孩子所固有的纯真与任性。

深远的房间与天花板在柔和的光线下有着强烈的纵深感，不仅使整幅画作显得更加协调、逼真，暗影的不断出现也使画面前方的公主显得格外光彩照人。

背景墙壁上的镜子中呈现出国王与王后的影像，艺术家巧妙地将画作之外的人物也同样安置在画面之中，画中、画外人物视线的交汇与光线的明暗对比完美地超越了空间的限制，将整幅画作定格在充满生活情趣与真切如实的瞬间。

背景中打开着的房门外，王后的侍从站在楼梯上得体地望向这边，远景的延伸中楼梯间明亮的光线使其格外显眼，而侍从抬起的右手则巧妙地指着墙壁上镜子中的影像，极其自然地引导着观者的视线。

右边的宫娥正俯身致敬，充满着敬畏与礼仪风范，她注视的方向与小公主注视的方向交叉点清晰地交代了画面外重要人物所处的位置。

宫廷中的侏儒小丑踩着前方打盹儿的大狗，而这条困倦的狗丝毫不为所动，可见乏味、枯燥的绘画已经持续很长一段时间了。

头上戴着桂冠的“勤奋”男子象征美德和成功，勤奋可以让人们拥有美好的未来，但男子偷偷看着“财富”女神的目光却似乎在告诉人们，勤奋的目的多是对财富的窥探。

伴着时光之乐起舞

油画 尼古拉·普桑 1638年 82.5cm×104cm 现存于英国伦敦华莱士博物馆

艺术家通过他的画笔向人们展现了自己对时间、命运与生活的潜在联系的领悟，象征财富、快乐、勤奋、贫穷的四个舞者和着时间老人的竖琴声翩翩起舞。人们追逐着属于自己的幸福，过去与未来、短暂与永恒，过往的一切终将成为让人唏嘘的记忆。在命运之轮中人生有着美好的一面，却也在周而复始中让人感伤不已。

罗马人的守护神雅努斯神像，他有两个面孔，能同时看着两个方向，其中年老的面孔回望着过去，年轻的面孔凝视着未来，而石像上环绕的花环着暗示生命的短暂，任何东西都无法真正永恒。

象征过去的孩子吹着轻盈的气泡，而这些无法保存的美丽往往如气泡一般稍纵即逝，徒留下怅然的回忆。

“快乐”女神象征享乐和舒适，她戴着漂亮的玫瑰花环，面露微笑地望着观赏者，似乎在邀请人们加入欢庆的行列。

广阔的天空中太阳神阿波罗和时序女神们如欢庆般飞过天际，他们将金色的阳光和美好的祝福洒向大地，一切充满着生机。

艺术家巧妙地将画作中的人物安置于一个正三角形中，而中间起舞的四个舞者则环绕成命运之轮，精准的几何构图让整幅画作和谐而充满韵律之美。

“贫穷”女神戴着朴素的头巾，她一边拉着“勤奋”，一边试图接近“财富”，贫穷总是能与勤奋站在一起，却难与财富和快乐相交，这也许是人生最大的遗憾。

时间老人弹着竖琴，琴声让人如此痴迷，如同生命的流逝让人万分留恋。

象征未来的孩子拿着沙漏，时光如沙般悄悄飞快地流逝，沙漏流尽的瞬间不是命运的轮回，就是死亡的临近。

与“快乐”拉着手的“财富”女神头上戴着珠饰，服饰高雅，穿着精致的鞋，她平静地注视着时间老人，左手却与“贫穷”无法相交，暗示财富往往与快乐相交，却与贫穷无缘，华丽的外表下却是时间的流逝和幸福时光的短暂。

参孙与大利拉

油画 彼得·保罗·鲁本斯 1609年 185cm×205cm 现存于英国伦敦国家美术馆

富丽堂皇的房间中正上演着让人无比紧张的一幕，作为让非利士人闻风丧胆的克星，以色列的超级武士参孙堕入了非利士女子大利拉的色欲诱惑。后者以色诱获得了让参孙毁灭的关键，对于从未剃过头发的参孙来说，头发才是让人获得神一般力量的源泉，于是非利士人趁参孙熟睡之际，剪掉了他的头发，挖去他的双眼，鲜明的红色让这紧张的一幕仿佛凝固的血液一般骇人。

苍老的妇人持着烛火照亮了这邪恶的一幕，帷幕中探出的身体仿佛恶魔般，并以其狡诈、阴险的目光注视着悲剧的上演。

非利士女子大利拉赤裸着上身，用一种疲惫无力的目光看着参孙，她光滑的肌肤因紧张而变得绯红，火红色的裙衫暗示激情过后，即将发生的残忍一幕。

明亮的光线下，参孙平滑宽阔的脊背裸露在外，突显其毫无防备的内心，而他魁梧得如山丘般的肌肉与米开朗琪罗塑造的人物特征极为相似，优美的线条呈现出一种雕塑般的静态效果。

壁龛中美神维纳斯与爱神丘比特的形象暗示充满色诱的主题，维纳斯与大利拉几乎一致的头部方向更是揭示了两者之间的共通之处。

紫色的帷幕与幽暗的墙壁都呈现着暗影，这些不规则的光影效果不仅真实地印证了房间内摇曳的烛火，而且也使处于明亮光线的前景格外突出，营造出诡异的氛围。

理发师聚精会神地以一种近乎扭曲的手法极其小心地剪去参孙的第一缕头发，冷峻的脸上不仅流露出让人心惊的冷酷，更有着些许的不安。

推开的半扇门外，挤满了非利士士兵，他们惊心于眼前发生的一切，随时准备冲入房间用尖木桩挖出参孙的双眼，而明亮的火光更与房间外幽暗的背景形成鲜明的反差，突显出这一行径的罪恶。

华丽的花纹刺绣与色彩艳丽的用具在明亮得刺目的光线中无比逼真，渲染了一种暧昧的色欲氛围，明暗之间的对比让人触目惊心。

奥尔加斯伯爵的葬礼

油画 艾尔·格列科 1586年 460cm×360cm 现存于西班牙托莱多圣托米教堂

奥尔加斯伯爵生前捐资修建了圣托米教堂，死后被安葬在该教堂的礼拜堂中。这幅精美的作品正是圣托米教堂委托画家艾尔·格列科为纪念伯爵的葬礼而作。庄严、肃穆的葬礼上，人们环绕着奥尔加斯伯爵寄托着哀思，两位身穿华美礼服的圣者将伯爵送进坟墓。他的灵魂被送入天堂，在圣母、圣约翰的辩护、祝福下接受基督的审判。

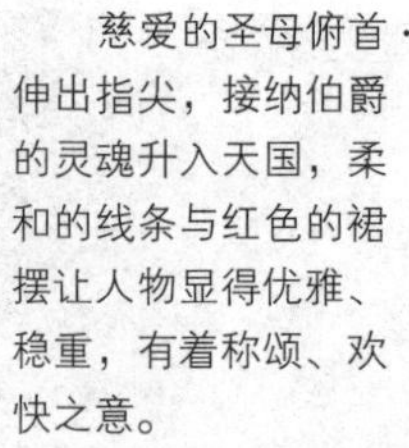

慈爱的圣母俯首伸出指尖，接纳伯爵的灵魂升入天国，柔和的线条与红色的裙摆让人物显得优雅、稳重，有着称颂、欢快之意。

圣彼得持着天国之门的钥匙等待着最终裁定的结果，进而将伯爵的灵魂引入天国之门。

天国的乐师们弹奏着悠扬的乐曲，为整幅作品注入了平和、绚烂的色彩，而乐师们的目光将人们的注意力吸引到画作最上方基督的中心位置。

静默的僧人站在画面的左侧，静静地为伯爵祈祷，修长的身材打破了背景处人群的单调和机械，让画面变得更加和谐、生动、逼真起来，并且与右侧的牧师形成良好的呼应效果。

基督教的殉教者圣史蒂芬抱起伯爵的双腿，助祭金色的法衣下摆处镌绣着他被无知的暴民用石头砸死而殉教时的故事。

施洗者圣约翰半跪在耶稣的座前，摊开双手，为伯爵的灵魂辩护，争取着神的救赎。

众多西班牙的杰出人物围拢在伯爵的身边，或沉思、或凝视、或感叹、或遐想，将天堂与人间清晰地分割开来，烘托出静穆、庄严的氛围，突显出伯爵地位的无比高贵。

穿着白色透明法衣的牧师展开双臂背对着画面，向围观的人大声宣讲的同时，凝视着画作中心伯爵的灵魂在天使的承接下被送入天堂。

圣师圣奥古斯丁托着伯爵的身体，一脸的祥和与肃穆，他服饰上精美的花纹与绘像暗示恩典与救赎，更将身穿盔甲的伯爵身形衬托得格外祥和、高大。

第六章

洛可可时期

那个迷人、典雅、伟大的时代在艺术家们的手中精致地再现。

洛可可时期同中世纪一样，由一个美丽的梦想支配着，由于一场可怕的灾难，人们从美好的梦幻中猝然惊醒。这场可怕的灾难，对于中世纪来说就是宗教改革；对于洛可可时期来说就是残酷的法国大革命。宗教改革和法国大革命是时代变革链条上无法避免的重大事件，但却并非中世纪和洛可可时期发展的必然，人类在其引导下慢慢步入人格和精神解放的崇高境界，进而达成社会进步所追求的终极目标（1938年3月14日，在写下这段话时我仍心存疑虑）。

值得庆幸的是，作为时代的公民，艺术家们摆脱了政治家和自觉传教士的头衔，仅以用石头、绘画或声音来再现时代精神为己任，竭尽所能地履行这 ·职责即是社会对他们的全部要求。洛可可时期的人们几乎不计较生活阴暗面，如果将责任推到艺术家们身上，是不近情理的。新的理性原则正灌输至社会的每个角落，并试图参与解决日常生活中所存在的遗留问题，即便是艺术家们对生活中的阴暗面有着切身体会，置身于这样的时代也无力改变什么。对于心目中“理性”一词的确切含义，他们总是不厌其烦加以解释，对此滔滔不绝时甚至连他们自己都深陷于这种极具诱惑力与优越感的词汇而难以自拔，他们不断地混淆论题，直到他们淹没在局外人的疑惑当中。不管怎么样，这是任何一个被简洁而高调的口号所主宰的历史时期所共有的相同特征。自由、平等、博爱、民主、信仰——嗨，希特勒！——一切为了沙皇！——所有这些出于各种偶然因素汇集成的口号，弥漫于某一时空的空气中，成为简洁的战斗口号，而事后统统被扔进历史珍品博物馆，沉寂于我们祖先的火绳枪、甲胄和佩斯利螺旋花纹呢披肩之中。

此外，艺术家们的工作绝不能仅限于眼前利益，发掘出具有永恒价值的特征是他们肩负的与普通公民不同的神圣使命。这些特征潜藏于社交关系中，潜藏于每个人的心灵深处，潜藏于优美的风景中。能否发现这些特征并将其准确地加以描绘并呈现给同时代的人，是衡量一个艺术家伟大或平庸的重要标准。

比如，尽管乔托和意大利的先驱们与我们生活在两个完全不同的时间、空间中，但这并不妨碍他们借助出神入化的作品将我们拉到属于他们的那个世界。艺术家们以其朴实无华的作品让我们如醉如痴，即便是将这些画作的复制品高高挂在墙上也能让我们感到如此

捉迷藏

油画　让·奥诺雷·弗拉戈纳尔　约1765年　216cm×198cm

高远的晴空下，花团锦簇、树木繁茂，一群成年人在郊外的农场中玩着儿时的捉迷藏游戏。艺术家以精致的笔触、明艳瑰丽的色彩将游戏的欢愉之情尽情挥洒出来，充满着闲适、浪漫的气息。而东寻西觅的少女在同伴的簇拥下天真地探知着周边世界的讯息，沉浸在欢乐中的所有人都没有发觉浓重的乌云正从遥远的天边重重地压过来。艺术家在纤巧浮华中寻求一种朴素的自然，似乎在暗示人们精神生活的麻木。

愉悦。哈布斯堡家族的末代国王很久以前就丢掉了王位，但那些迎合和美化其统治谎言的绘画作品却能躲过世间的战火，深藏在普拉多博物馆的地窖里安然无恙。那些曾在几个世纪前统治着半个世界（文明世界和野蛮世界）的人生哲学和官方论调，在今天看来仅仅是令人发笑的蠢话而已，然而贝拉斯克斯通过画作向我们坦露的信息，却能获得我们的认同。尽管布鲁格尔的弗兰德斯和荷兰的伦勃朗都早已魂归天国，但他们的作品却在人间被完好地保存下来。尽管中国的绘画大师作画的方式我们闻所未闻，但却无法阻碍我们对水墨画的痴迷神往。

格雷厄姆的孩子们

油画 威廉·霍加斯 1742年 161cm×181cm 现存于英国伦敦国家美术馆

这是一幅描绘药剂师格雷厄姆博士四个活泼可爱的子女的肖像画。年龄稍大的两个女孩汉涅塔·凯瑟琳和安娜·玛丽亚戴着漂亮的花环，年龄稍小的两个男孩理查德·罗伯特和托马斯则兴致勃勃地欣赏着笼中小鸟美妙的歌声和灵巧的身形，四个孩子都穿着典雅、贵气的衣饰，似乎在暗示生活的优越赋予他们幸福的童年，然而椅背爬上来的猫却让人猛然警醒，残酷的现实时刻潜伏在虚假的荣华与平静背后。

威尼斯：耶稣升天节的圣马可广场

油画 卡纳莱托 约1740年 122cm×183cm

晴空万里下的“水城”威尼斯沐浴在金色、煦暖的阳光中，天水之间亮丽、闪烁着的光影将城市与生活在这里的人们包裹其中，圣马可广场坚实的建筑与秀美的廊柱将古典的韵律之美绵延到地平线的尽头。艺术家着重描绘的广场上密集的人群以及河上繁荣有序的船只，真实地再现了威尼斯的水城风情，对光线与色彩的精妙把握使人们有一种画面边际在无限扩大，进而身临其境的感受。

伦勃朗自画像

油画 伦勃朗 1659年 84cm×66cm

这是一幅出自伦勃朗晚年时期的自画像，这位极富个性的艺术家以大量不同时期自画像的形式来记录自己的一生和内心独白。饱经沧桑的苍白面庞下隐现着一个桀骜不驯的灵魂，他真诚地注视着自己，严肃而淡然的目光似乎能窥透人的内心，这更像是人与人之间精神的交流。微蹙的眉头、紧抿的嘴唇强调着他一生对艺术的坚定与执着，即便是颠沛流离的生活也不能阻止他对命运无声的抗争。

时光荏苒，如同世间伟大的真理一样，艺术能够超越时空，因为它代表着生活的本质，其真谛终将永存不朽。洛可可时期的生活环境远非我们今天这般舒适，我们指责那时的人们诸事皆从经济角度出发、极度浪费，对社会底层的疾苦漠不关心。毋庸置疑，他们是奢侈生活最忠实的拥护者，即便是他们会辩解，他们懂得如何在过奢侈生活的同时保持真正的优雅和直白的朴实，对他们极度浪费的指责都无可辩驳。然而，对一个世

纪做出正确的评判需要一个渐进的过程，指责他们对社会底层人们的疾苦漠不关心值得商榷。实际上，在这段时期的理想主义中，混杂着许多中世纪和巴洛克时期的遗风。

作为人们获取法国大革命之前时期的印象的来源之一，狄更斯《双城记》中路易十四奢华的王室风范就是那一时期最鲜明的例证。一位法国王后的话曾被人们传得沸沸扬扬：没有面包吃的人可以吃蛋糕嘛！现在事实澄清了，这位王后从没有说过这样的话。她只是在巴黎面包供应紧缺时，随口打听了一下奶油是否也很紧张。而在这里提及这段前后不符的逸闻琐事，其意图仅仅是为了证明我们看穿洛可可时期的真实面目可能还需要100年的时间。对于那个时代，也许我们所能得出的最糟糕的评判就是：这是一个感伤主义的年代。这种感伤足以蒙蔽船上的舵手，致使他们分辨不清正确的航向。待到触礁沉没、船毁人亡时，一切都已无可挽回。他们从始至终沉浸在对幸福的期盼中，直至灭顶之灾临近的最后

去基西拉岛朝贡的旅程

油画 安托尼·瓦托 1718年作 130cm×192cm 现存于德国柏林沙罗顿堡

郁郁葱葱的大树枝蔓下，情侣们穿着奢侈、华丽的服饰在绚丽缤纷的景致中享受时光，流连忘返。典雅的田园风光在美神维纳斯、爱神丘比特的点缀下无疑宣示着爱的主题，活泼雀跃的小天使使整个场景充满愉悦与喧闹。画面中间显著位置的女子回眸时怅惘的目光似乎在感叹时光的飞逝、幸福的短暂，浓丽的色调弥漫着一种脂粉气和女性们挥之不去的淡淡忧伤。

神情专注的女仆

油画 让·巴提斯特·西蒙·夏尔丹 约1738年 46cm×37cm

这幅画作描绘的是年轻女仆正神情专注地准备晚餐时的情景，左侧的桌子上简单摆放着面包、水罐、高脚杯和盛放鸡蛋的盘子，厨房中昏暗的一角将女仆洁白的头巾、毛巾、鸡蛋、台布突显得分外明晰、纯洁，日常生活中的不同元素皆被艺术家赋以崭新的寓意，水罐象征洗礼，面包和高脚杯象征神圣，女仆身上洒满的神圣之光象征了艺术家对蒙受神圣恩典的喜悦和对生活的无尽赞美。

一刻仍浑然不觉。无论社会的上层还是下层，彼此困顿的生活大家心知肚明。但他们坚信，在以纯粹理性的灿烂之星设定方向后这种不幸的窘境即将烟消云散，生活也会日趋好转。红运当头之时，尽情地享受生活的乐趣才是最明智的选择。

人们不难发现，这种精神状态在这一时期的艺术作品中留下的清晰烙印。其中，最具有代表性的就是18世纪的建筑风格，此外这种精神在音乐作品中也有着深刻的彰显。画家以自己的方式表现出事物富有魅力的一面，并为此不惜耗费一切代价。对于他们来说，一个人或者贫穷，或者富有；或者体弱多病，或者精神饱满、身体健康；或者风华正茂，或者年

偷吻

油画 让·奥诺雷·弗拉戈纳尔 约1788年 45cm×55cm 现存于俄罗斯圣彼得堡艾尔米塔什博物馆

艺术家以柔美的笔触和色彩展现了一幅充满着情调和戏剧性的瞬间。一个少女匆忙地逃离了右方纷扰、无趣的大厅及众人，左侧房间中一个迫不及待的示爱者便欲将其拥在怀中、一亲芳泽，少女瞬间矛盾的内心致使其身体呈现出一种扭曲的姿态，热切期待中的欣喜让她不由自主地靠过身去，而出于对世俗与隐私的顾忌又让她侧脸望着大厅方向虚掩的门，长长纠结的围巾将这种矛盾的心理衬托得尤为明显。

牡蛎大餐

油画　让·弗朗索瓦·特洛瓦　1735年　186cm×120cm　现存于法国尚蒂伊孔德博物馆

金碧辉煌的大厅内，皇室贵族们正在餐桌前大快朵颐，宫殿的内部装饰华丽、精美而繁缛，大厅后面独立的演奏台暗示大厅功能的齐全和奢华，雕花的纹饰和典雅的浮雕装饰的内壁有着典型的洛可可风格。艺术家以精细的笔触、丰富的色彩呈现出杯盘交错的盛宴之风，前景满地的牡蛎壳显示了酒食正酣的人们早已忘记了应有的节制和礼仪，纷乱的场面反而突显出身穿蓝衫端着一大盘牡蛎仆人的满脸无奈。

秋千

油画 让·奥诺雷·弗拉戈纳尔 约1768年作 81cm×64.5cm 现存于英国伦敦华莱士收藏所

一个妖艳的女子在丛林中高高地荡起秋千，飞扬的裙底和踢飞的鞋子烘托出浓重的轻浮、放荡之气。粉红色的长裙、白色的蕾丝衬裙与丝袜勾起了她身前情人的兴致，沐浴在金色阳光中的女子将周围灰色调的人物、雕像、雾气衬托得暗淡无光，一种浓艳、轻浮的病态美呈现在人们的唏嘘感叹之中，有着一定色情暗示和感官挑逗的特征也是洛可可时期的典型特征之一。

老体衰；或者高尚，或者卑贱，都可以接受。但是每一个人都必须牢记：优雅地死去，无畏地吃苦，时刻保持一种适度优雅的、功成名就的感觉。于是，那一时代的艺术呈现出非常显著的共同特征，给人一种好似男人与一名漂亮女子婚后多年的感受。这个时期的艺术更可看作女性艺术而非男性艺术，文艺复兴和巴洛克时期艺术作品中普遍呈现的阳刚之气与浑然一体的力度在它的身上如此匮乏。看着男人们所穿着的服饰、所用的家具，以及边用精美的东方茶具品尝着巧克力奶、边眉飞色舞地高谈着时事政治的八卦，就可以断定洛可可时期艺术处于女性时期。

读书的少女

油画 让·奥诺雷·弗拉戈纳尔 约1776年 81cm×65cm 现存于美国华盛顿国家美术馆

这是一幅在静谧的空气中飘荡着浓郁的女性甜美气息的画作，一个少女坐在宽大、舒适的浅玫瑰红色的靠垫中，神态专注地读着诗集或小说。胸口紧致的衣褶与颈部繁缛的褶花将女性丰满、柔嫩的轮廓和质感衬托得淋漓尽致。盘起如云的发髻、柔软精致的丝带、低垂的眼眸、小巧的鼻尖、持书的手部细节……艺术家以柔美的色调、活泼的线条、细腻的笔触将花季少女的青春之美近乎完美地呈现出来。

上述的所有内容俱是事实。称不上人类历史上最伟大艺术的洛可可风格，唯有某些绘画技巧让人称道。然而，它是历史上艺术家们最后一次有机会来描述一个真正国际意义上的而非国家意义上的社会文明，这才是它真正吸引人们关注的地方。高度集权的国家在巴洛克时期初露端倪，贵族阶级不再拥有昔日的政治和经济特权。面对刚刚占有的宫廷，依然延续的旧有体系和趋势常常让新的统治者感到手足无措。

逐渐放下矜持的国王陛下们在洛可可时期也实在难以找到门当户对的人选，国王陛下和其高贵的侍从们不得不与少数几百个家族通婚。悠久的历史和传统让这些家族获得了跻身高贵后裔血统的资格。他们不约而同地一致排外态度成了建立起“世界大同的社会”的基石。不论他们来自俄罗斯的重镇，还是来自临近北极圈的瑞典，甚至是来自疾风肆虐的

意大利海港和古代遗迹

油画 弗朗西斯科·瓜尔迪 18世纪30年代 122cm×178cm

天空中涌起灰蒙蒙的云，海港内扬帆的船只与荒芜的古代殿堂遗迹形成鲜明的呼应，明快、强烈的光线笼罩着意大利的海港小镇，明暗相间的建筑物与阴影轮廓给人一种浓郁的抒情之感，艺术家试图呈现出一种时空错离之感，遗迹、城镇、码头、船帆由右至左将时空由过去拉至眼前，让人感叹时光的飞逝，引发观者情感上的无限亲近和共鸣，并沉醉在这个色彩、线条构筑起的诗情画意中。

卡斯蒂勒高原，或是来自岩石遍布的达尔马提亚海岸；不管他们是新教徒、天主教徒，甚至是没有任何信仰——具有良好的教养是他们的共性，甚至他们从对子女的教育方式到拿手帕的生活习惯都如出一辙。

古罗马时期曾经大范围流行过这种世界性的人类文明。当塔尔苏斯的保罗和强大的恺撒大帝高调地以罗马公民自称时，这种人们依附、崇拜强势的观念就一直存在，甚至在中世纪教会当政时期也彰显出一定的生命力。直到宗教改革和巴洛克风暴之后，它才开始步入衰亡。呈现在观赏者或聆听者面前的洛可可时期，是世界性文明最后一次的自我演绎。或许当它不再是周边人们的狂热鼓噪，将来的法西斯主义很可能步其后尘，再次席卷我们的世界。不管如何，地球上的世界主义彻底绝迹了，民族主义取而代之，洛可可时期以后的画家们再一次陷入不幸之中。

洛可可时期

法国

安托尼·瓦托（1684—1721）：

《法国喜剧演员》，纽约，大都会艺术博物馆

《发舟西苔岛》，巴黎，卢浮宫

让·马克·纳蒂埃（1685—1766）：

《德庞帕多尔夫人像》，马赛博物馆

《路易斯·亨利埃特·德布尔邦像》，马赛

《扮作戴安娜的德康德公主》，纽约，大都会艺术博物馆

尼古拉斯·朗克雷（1690—1743）：

《音乐课》，巴黎，卢浮宫

让·巴提斯特·西蒙·夏尔丹（1699—1779）：

《祝福》，巴黎，卢浮宫

《自画像》，巴黎，卢浮宫

《年轻的编织女》，纽约，大都会艺术博物馆

弗朗索瓦·布歇（1703—1770）：

《维纳斯的梳妆》，纽约，大都会艺术博物馆

《里纳尔多和阿米达》，巴黎，卢浮宫

昆廷·德拉图尔（1704—1788）

《让·雅克·卢梭像》，巴黎，卢浮宫

《米勒·菲尔像》，昆廷博物馆

查尔斯·安德烈·范洛（1705—1765）：

《音乐会》，伦敦，华莱士收藏

琼·巴普蒂斯特·格勒茨（1725—1805）：

《破壶》，巴黎，卢浮宫

让·奥诺雷·弗拉戈纳尔（1732—1806）：

《青春与浪漫爱情》，纽约，弗里克收藏

意大利

卡纳莱托（1697—1768）：

《威尼斯广场》，纽约，大都会艺术博物馆

彼特罗·隆吉（1702—1785）：

《展示犀牛》，伦敦，国家美术馆

弗朗西斯科·瓜尔迪（1712—1793）：

《里多托的化装舞会》，威尼斯，科雷尔博物馆

薄雾中扬起的船帆旁，小精灵们三五成群地嬉闹、雀跃不停，仿佛在天空中、在轻快的旋律中优美地舞蹈，将画作中的留恋氛围渲染得快乐起来。

发舟西苔岛

油画 安托尼·瓦托 1717年 129cm×194cm 现存于法国巴黎卢浮宫

在相传中的美神维纳斯诞生的登陆之地——西苔岛，情侣们正在小精灵的催促下流连忘返，海岸边的船帆缓缓升起，沉浸在浪漫、欢爱的梦幻之地，人与自然和谐地共处一地，一切都呈现出一种让人陶醉的朦胧之美，充满着轻松和愉悦，让人不忍从这里返回枯燥、残酷、缺少温情的现实国度。艺术家以纷乱朦胧的色彩渲染出人们对于爱情充满着诱惑和不确定的主题，绘出了现实中人的内心世界。

情人们相拥着走向准备起航的帆船，柔和的光影效果让众多人的背影显得格外的精致、典雅，突显出逼真的情态，使视线沉浸在浓郁的浪漫氛围中。

平缓的草坡上人物的构图从右至左如同有节奏一般，以低沉起始，起伏婉转中滑过几个独具特色的强音，而最终平升起左侧最高昂、回转的尾音。

翠如伞盖的大树下满目的绿色一直铺展到天际，一派生机盎然的景象，艺术家在这里刻意强调了一种人与自然的和谐之美，更是对人性渴望回归自然的呼唤。

维纳斯的雕像与现实艺术中通常的样子完全不同，她仿佛是鲜活的生命，在小爱神丘比特与小精灵的簇拥中藏起了丘比特的弓箭，暗示重获自由的爱情。

花丛边的一对男女正小心翼翼地将采回的玫瑰花收集起来，洁白的包裹象征爱情纯真的同时，也暗示爱情如同带刺的玫瑰容易给人造成伤害。

端庄的女子坐在草地上似乎在端详眼前的白折扇，而倾听的面容却如实地反映她正在更细心地倾听旁边情人在她耳畔的甜蜜的情话。

雕像下的草丛中倒放着分别象征战争、艺术和知识的盔甲、里拉琴和书籍，这些被人们遗忘在角落里的东西在纷繁的人物中显得形单影只，暗示在爱情面前一切都变得毫无意义。

沐浴的狄安娜

油画 弗朗索瓦·布歇 1742年 56cm×73cm 现存于法国巴黎卢浮宫

柔美的月光下，古希腊神话中的月亮与狩猎女神狄安娜坐在水边，崇尚自然和自由的狄安娜代表着母性与贞洁。狩猎归来的狄安娜及其随从宁芙刚刚出浴，幽暗的背景与柔亮的人物形成了完美的视觉反差，突显出人物肢体线条的柔美之态。艺术家以华丽的色彩、细腻的笔触呈现出具有浓重脂粉气息的世俗审美享受，这种香艳、随性的享乐主义完美地昭示了洛可可的真正内涵。

明净的天空下幽深的丛林不仅烘托出寂静的自然氛围，更暗示场景中充满着隐私和诱惑的味道，作品再现了古罗马诗人奥维德《变形记》中的情节，猎手阿克泰翁因无意中窥视了出浴后的狄安娜而被后者予以严惩。

水边暗处修长的芦苇与狄安娜圣洁的躯体形成良好的呼应，修长、柔美的线条是两者共有的特征。

河边的两条猎犬摇着尾巴，边饮水边充满警惕地注视着不远处浓密树丛中的动静，暗示即将发生的故事以及华丽的背后充满着暴力的味道。

平躺着的红色箭壶与右侧堆放在草坡上的红把猎弓相呼应，寓意着难以抑制的炽烈天性。

随从宁芙侧身艳羡地注视着狄安娜的胴体，光线的明暗清晰地表现了两个女子之间的欣赏、嫉妒与攀比。

狄安娜出神地注视着前方的溪流，她的发髻上用一颗精致的珍珠别着一枚新月形头饰，那是她作为月亮与狩猎女神的标志。艺术家运用淡淡的色泽不仅强调了肌肤的细致、光滑，更让充满女性柔美魅力的肢体曲线在落日的余晖中笼罩着一层圣洁的光。

山坡上滑下的巨大蓝色幕布将狄安娜的肌肤突显得分外白嫩，她刚刚出浴的充满着青春魅力的躯体上似乎隐现着还未拭去或蒸发的水滴。

束在一起的鸟雀等猎物是狄安娜的战利品，不仅表现了画作中心人物的身份，更暗示一种充满自然、原始的欲望和魅力。

法兰西大使的到来

油画 卡纳莱托 1735年 180cm×259cm 现存于圣彼得堡修道院

繁华、喧闹的威尼斯市中心，法国大使雅克·文森特·朗奎特的到访让那里变成了欢乐的海洋，精致的细节、逼真的景象让画作中的风景如同用摄像机拍下的定格画面。艺术家以一种舞台设计的视角高度展现了艺术蕴含的魅力，宏大、繁盛的场面抒发了他对家乡威尼斯的无比热爱，并生动地再现了威尼斯人对节日庆典欢乐气氛的情有独钟。

始建于1236年的图书馆位于广场远景的另一端，繁复典雅的外观和温和厚重的大理石结构洋溢着浓厚的文化韵味，络绎不绝的人群则突显了威尼斯人对文化艺术的无比热爱。

广阔的苍穹中飘着淡淡的云，翻卷飘动的云层在阳光下变换着不同的外形和色彩，艺术家敏锐地捕获到了这一细节特征，并以独特的光线效果将其呈现在画作之中。

安康圣母教堂是威尼斯的标志性建筑，是人们专为庆祝1630年战胜瘟疫而建，富丽堂皇、气势恢宏的圆顶下承载着威尼斯人的记忆与希望。

水面上川流不息的船只是“水城”威尼斯的标志性特色，河流如同街道一般连接着城市的各个角落，节日的盛装、高贵的船饰突显了城市中节日庆典般的热闹氛围。

总督府前面著名的毕亚契塔广场中耸立着威武的飞狮雕像，那是威尼斯守护神圣马可的象征。

哥特风格与拜占庭风格相融合的总督府也是威尼斯的标志性建筑之一，建筑外壁上高悬的是圣马可的飞狮雕像，文化与艺术的汇集让威尼斯的众多建筑又神奇地融合了欧洲不同时代艺术风格的特征。

驻足在总督府露台上熙熙攘攘的人群鲜明地烘托出这座城市的性格，人们纷纷探着头观看广场上盛大的场面，不论是好奇还是醉心于此，这座城市都充满着生命的活力。

威尼斯城中修建有大量的桥梁，固有"桥城"之说，水与桥构成了这座城市独有的魅力所在，人们依靠船与桥来往于城市的陆地之间，桥文化已经成为融入人们生活的重要部分。

阳光照在城市间，不同位置呈现出各异的细节特征，这是艺术家赖以成名的重要艺术特征，而天空中聚集着的乌云则表现了艺术家对未来的惶恐不安。

家庭女教师

油画 让·巴提斯特·西蒙·夏尔丹 1739年 46.5cm×37.5cm 现存于加拿大渥太华市国家美术馆

温暖的房间中一个小女孩站在她的家庭女教师面前。后者一边整理她的三角帽，一边训导着小女孩。对于人物锐敏的观察力和模仿力铸就了艺术家传神的笔触，这幅画作的尺寸非常小，然而艺术家对于人物细节的刻画和对人物内心的挖掘唤起了观赏者强烈的代入感和真实的童年记忆，这也是这幅作品在和谐、朴素的外表下受到众人称颂的重要原因之一。

半开着的门暗示孩子长大后将面临的灰色、冷酷的世界，远不及房间内的温馨，无法预知的危险和幸福都在那团灰暗的空气之后，等待着孩子去探索、寻找。

小女孩安静地倾听着教诲，宽阔的额头、小巧的鼻子突显了孩子的天真无邪，而蓝色的头巾与丝带则暗藏着一缕童年的忧郁。小孩子腋下夹着的书本也许不是她真心喜欢的东西，略显焦躁的脚部姿势与欲张未张的嘴唇似乎暗示小女孩对训导的难以理解和些许不耐烦。

随意扔在地上的纸牌是艺术家特意安排的寓意，两张带有折痕的纸牌代表着过去与现在，白色的背牌暗示无邪的幼年，折住的红桃五暗示家庭的理解和欢乐，黑桃A暗示终结和叛逆，红桃K则暗示未来无法预知的爱情和诱惑。所有的牌连成一线指向虚掩的门，似乎预示孩子终有一天会进入成人的世界，她有自己选择未来的权利，即有些东西是可控的。

丢弃在地上的球拍和羽毛球，这些是孩子性格活泼的象征，红白色彩的搭配和反差暗示孩子的纯真与成人对天真扼杀的格格不入。艺术家在画作中的不同位置皆选取红白色的色彩搭配，既有着教诲的寓意，又暗示孩子在众多诱惑、规则的逼迫下唯一的出路只有那扇虚掩的门。

家庭女教师身穿端庄的服装，白色的头巾下充满着期待的眼神，她努力地试图走进孩子的世界，却只能面对孩子不愿交流的眼睛，如此近的距离却仿佛隔绝在两个不同的世界。

巨大的红色靠背椅子在光线中显得温和而醒目，这与桌子所呈现的色调完全不同，笔直厚重的棱角和醒目的红色暗示成人高高在上的严厉与固执，这与孩子的内心世界格格不入。

深蓝色的三角帽有着白色的边，整洁的三角帽、温润的手、厚实的毛刷，三者会合在一起，轻易地勾起人们对童年生活无比熟悉的回忆，让人感到无比亲切。

左幅人物的肖像与右幅的庄园风景达成了一个微妙的平衡，近处的人物与远处的景物设置和谐、自然，而一站一坐的两个人与身后的橡树也达成了和谐的效果，既合理地记录了带有见证意义的人物肖像，又呈现出人与自然的和谐之美。

安德鲁斯夫妇

油画 托马斯·庚斯博罗 约1748—1749年 70cm×119cm 现存于英国伦敦国家美术馆

优美的乡村风景中，安德鲁斯夫妇悠闲地坐在庄园的一角，艺术家将人物肖像画与风景画完整地拼接在一起。虽然仅仅是一幅纪念安德鲁斯夫妇结婚的作品，却深刻地显露出18世纪英国所特有的人物、环境以及文化传统特征。这幅画中的风景突显了英国绘画艺术的精髓，深厚的功底与和谐的平衡让艺术家得以在英国上层社会获得极大的成功和赞誉。

在艺术家的画笔下，安德鲁斯先生装扮成梦想中的绅士形象，带着猎犬，挎着猎枪，随意地倚靠在长椅旁边，带着一脸的优越感注视着前方。

安德鲁斯夫人穿着漂亮的缎子长裙，在明亮的阳光中反射出轻柔炫目的光，宽大、柔美的衣褶线条如同不规则的波浪，呈现出逼真的质感。

嫩绿的草色和野花将户外悠闲惬意的景致衬托得格外浓郁，而看似平凡普通的花草和乡村风景更突显了安德鲁斯夫妇的典雅与不凡。

高大的橡树和远处的群山、树林为人物的高大、端庄设置了极好的背景，近处的人物和景色缓缓向右方拉伸，将观赏者的视线带入那片明净空旷的天空中。

右端并列的三棵树处于远景与近景之间，较好地完成了观赏者视线的过渡，并与左侧高大粗壮的橡树形成良好的呼应，使整幅画作获得了巧妙的平衡。

远处草地上斜斜的栅栏和羊群呈现出乡村自然美好的景致，同时将画面右端的远景悄悄地过渡出去，与左侧远处的树林、右侧远处的灌木、更远处的群山形成逐渐拉远的层次，让观赏者的视线得以延伸得更远，给人以辽阔之感。

捆扎成堆的稻谷巧妙地平衡了人物和风景的重心，细致的笔触让每个谷穗都清晰可见，狭长而柔韧的稻谷以点点洒洒的线条赋予了画面更为清晰的纵深感。

第七章

革命与帝国

画家沦为宣传者。

关于艺术家沦为宣传者的话题我已经发表过我的感想了，那么这一章将仅作简明扼要的表述。在人们眼中，当确定政党成员资格远比舞文弄墨、拨动琴弦、吹奏铜管更为重要时，持续6年的法国大革命以无可辩驳之势向人们展示了一切皆有可能。法国大革命朴实无华的古典之风刚过，与拿破仑帝国密切相关的陈腐且少有创新的特征就渐渐出现。之所以在这本简要的书中提及它，皆因本人觉得实有必要，仅此而已。法国大革命时期画家们皆有的两点共识是：一、怀有巨大的革命热情；二、思考怎样在革命中保全性命。

有着创建者典型特征的第一帝国绘画风格，顶多像一个粗鄙的小投机者，其作品更倾向于一夜暴富的小酒馆老板的品位，由于精力过剩，搅得欧洲大地在近20年时间里动荡不安。

这个时期几乎没有什么杰出的艺术作品可言。具有强烈个性的如戈雅那样的画家少之又少，当脆弱的人们多被欺骗时，他却能跳出谎言的旋涡。然而19世纪初以后的人们，若再用一万年前的眼光来看待艺术则显得非常不合时宜。于是，从那以后画家的地位一落千丈，艺术不再是必需品，而成为奢侈品的代名词，甚至有些落伍。

马拉之死

油画 雅克·路易·大卫 1793年作 165cm×128.3cm 现存于比利时布鲁塞尔比利时皇家美术博物馆

作为法国大革命最热情的领导者之一，相貌丑陋的马拉因患有严重的皮肤病不得不经常洗澡，他在浴盆中被保王党人夏洛特·科黛蓄谋刺杀。而马拉的朋友大卫以绘画的方式重现了谋杀的现场，瘫软的肢体、流血的伤口、带血的信件、谋杀的凶器……每一处细节更像是对凶手的控诉，而明亮的光线中马拉安详的面容则被人为地塑造成为民谋福的圣徒，艺术家处心积虑地将真相粉饰成极具感染力的宣传作品。

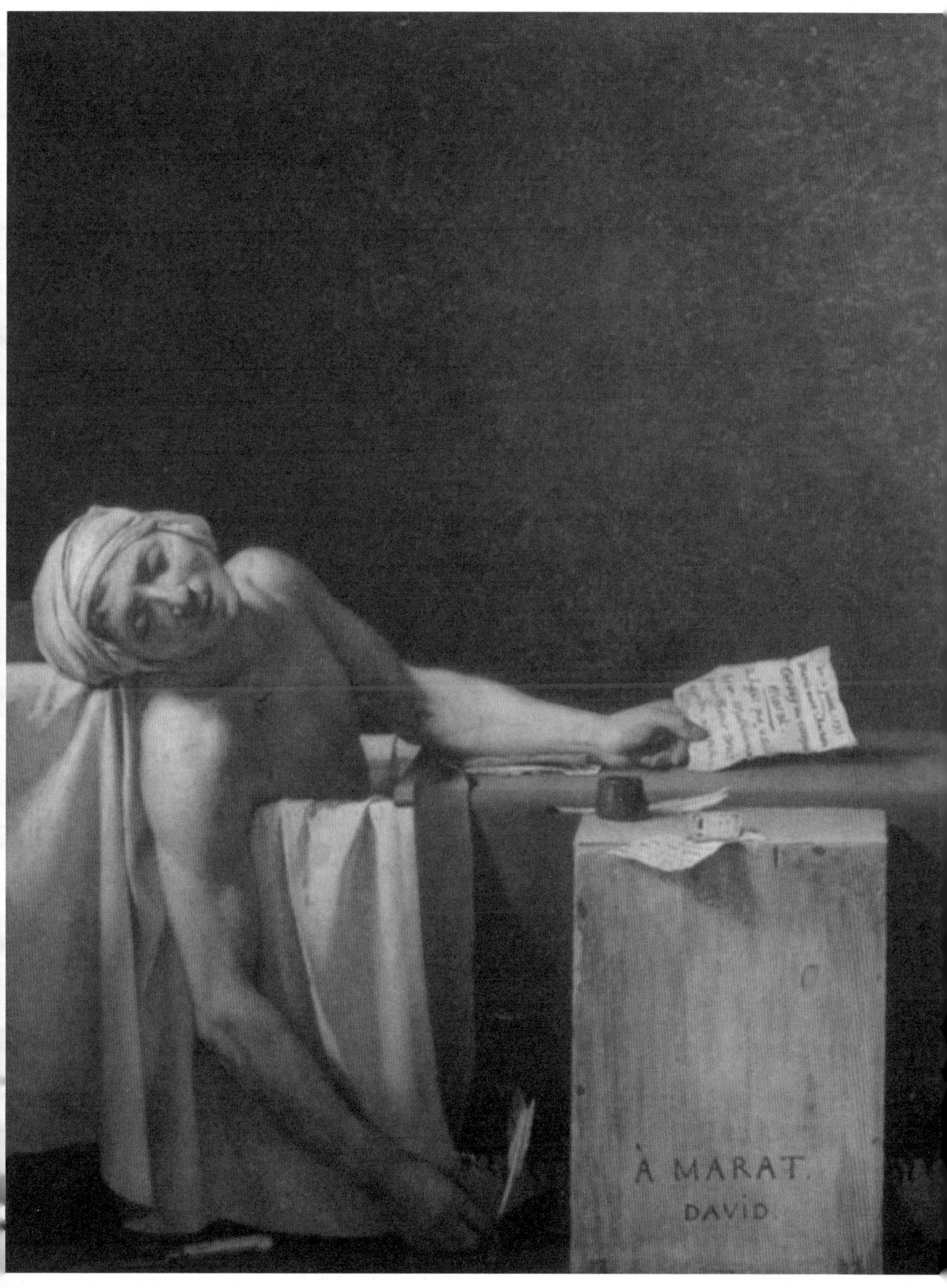
À MARAT.
DAVID

荷拉斯兄弟之誓

油画 雅克·路易·大卫

1784年 330cm×425cm 现存于法国巴黎卢浮宫

充满着古典主义美的宫殿中，荷拉斯兄弟正并肩站在一起，在父亲和天神面前宣誓为了国家随时准备献出亲情、爱情甚至生命。与充满着力量和男性阳刚之气的男人们相比起来，女人们则只能无奈地在旁边接受悲剧的到来。艺术家以精细得无以复加的笔触展现了国家利益前，公民所呈现出的无畏气概与美德，在旧秩序和革命的风潮中，作品中充斥着的英雄主义和新古典主义牢牢地抓住了人们的内心，使其成为当时最佳的宣传品。

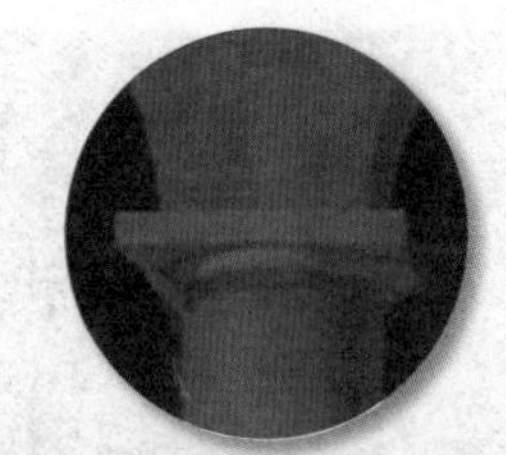

背景中昏暗的古罗马式建筑运用了线条最沉稳、简洁的多利克式石柱，浑厚的柱体去除了华丽和做作，这与画面中荷拉斯兄弟三人无畏的军人气质如出一辙。

艺术家花费了大量的时间和精力去重现古罗马士兵的真实装束，衣服、装束、头盔甚至人物的面庞细节都尽量做到尽善尽美，极力呈现出古罗马最真实的一面，用以激发观赏者的荣誉感和豪情壮志。

苍老的父亲庄重、肃穆地拿着刀剑向天神宣誓，充满着戏剧化的光影效果在刀剑和老人的脸上显得分外的冷峻、坚毅，而兄弟三人充满着力量的手将这一刻的坚定不移完美地流露出来。

三个并列连续的拱顶准确地将男人、老者、女人和孩子们划分开来，展现出同一屋檐下不同人群独特的性格与内心世界。

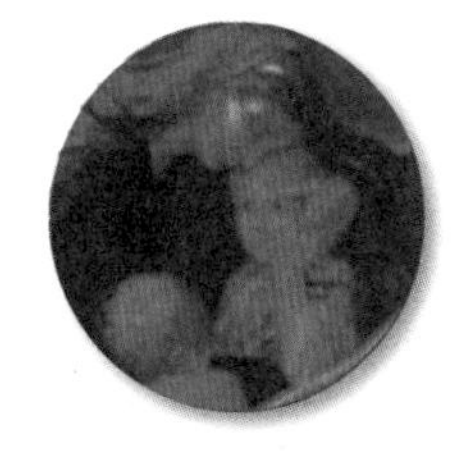

女人将两个孩子搂在怀中，男人们身后黑暗的阴影如同悄然而至的死亡笼罩住他们，天真无邪的孩子在幼小的时候即要接受这种无奈的结局，不禁让人感叹，但宽大的斗篷下小男孩充满着好奇和向往的眼神却似乎在告诉人们，即便是幼小的孩子也能在此刻理解勇者的内心，认同成人们的做法。

年轻的女人们无力地瘫软在房间的一角，充满着阳刚之气的光线洒在她们身上，面对着将来无法预知的悲剧，女人们无力去改变什么，柔美的线条与左侧刚毅的线条形成了极大的反差。

明快的色彩和硬朗的线条突出了人物的坚毅与果敢，其中鲜艳的红色不仅象征澎湃的激情，更暗示勇士们为荣耀和信仰不惜献上生命的勇气。

试验空气泵

油画 约瑟夫·赖特 1768年 183cm×244cm 现存于英国伦敦国家美术馆

昏暗的房间中，一大群人正在观看科学实验的过程，面对着即将发生的试验结果，人们表现出完全不同的态度和神情。艺术家试图通过充满幻觉的光幻影像以及明快的色彩向人们展示无人涉足过的科学领域中充满神奇的一幕，道德与理性的冲突闯入了人们的生活，崭新的绘画题材也开始冲击着固有的绘画思维。

穿着红色长袍的科学家满头灰白的长发宛如人们梦境中常见的邪恶巫师，他全神贯注地盯着画面之外，伸出摊开的右手似乎在争取人们的同意，然后继续开始他接下来的科学演示。

一个年轻人出神地盯着最上方的玻璃罐子，对世界的巨大好奇心使他完全忽视了身旁女子充满着爱慕的眼神，暗示科学远比爱情有魔力。

一个孩子俯着身子，用心地观察着玻璃罐子中鸟的细微变化，而他右侧的绅士更是拿着怀表，仔细地计算着时间，全神贯注地观察试验的每个细节。

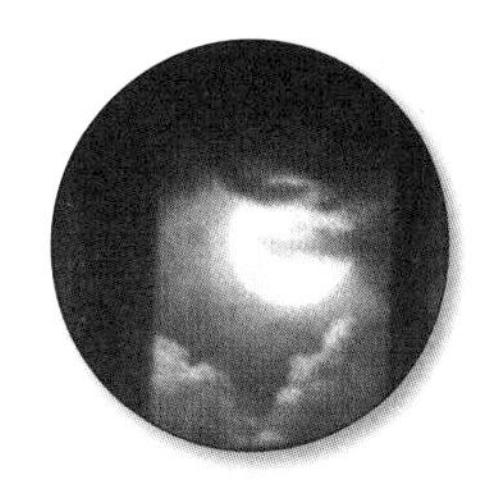

窗外乌云中的满月象征一切真相和命运都有云开月现的时刻，同时似乎也暗指这里是英国工业革命时期人们每月满月之际聚集在一起研讨科学发展的“月社”活动现场。

一个成年人揽着两个小女孩的肩膀，对于科学家讲述的即将发生的生命的逝去，两个小女孩不约而同地表现出反感和恐惧，而这个成年人正试图安慰她们，告诉她们科学的真正意义。

一位老者静静地陷入了沉思，科学试验的结论和细节似乎勾起了他新的灵感，而他此刻也正在不断地思考着，紧抿的嘴唇暗示科学有可能带给人们新的世界，也有可能一举毁掉现有的世界。

玻璃杯挡住的烛光呈现出逼真的影像效果，这不仅让观赏者将最终的视线聚集于此，杯中浸泡着的骷髅暗示了科学的残酷和理性。

桌面上空出来的位置似乎在邀请观赏者一同加入画面中的科学试验。

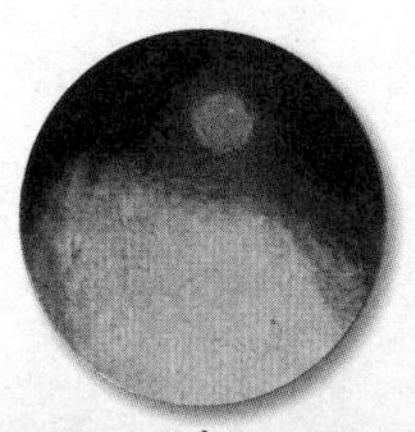

暗淡的天空中，飓风夹杂着雨雪如同巨大的椭圆形旋涡，将天空和太阳吞噬，曾经炫目的阳光只能隐隐透出微弱的光影，烘托出厄运当头时大自然的壮阔与恐怖。

汉尼拔翻越阿尔卑斯山

油画 J.M.W.泰纳 1812年 146cm×237cm 现存于英国伦敦塔特美术馆

画面中呈现的是一场集狂风、暴雨、雪崩于一体的末日般的大自然灾难。傲视欧洲的拿破仑率领着他勇猛善战的部队攻至莫斯科城下，然而俄罗斯严酷的冬天让他们大败而归。艺术家以翻越阿尔卑斯山入侵意大利的汉尼拔来影射拿破仑，告诫深陷政权、争端旋涡中的人们，只有大自然的愤怒才是最具力量、最让人胆战心惊的对手，在大自然面前，一切武力和强势都显得微不足道。

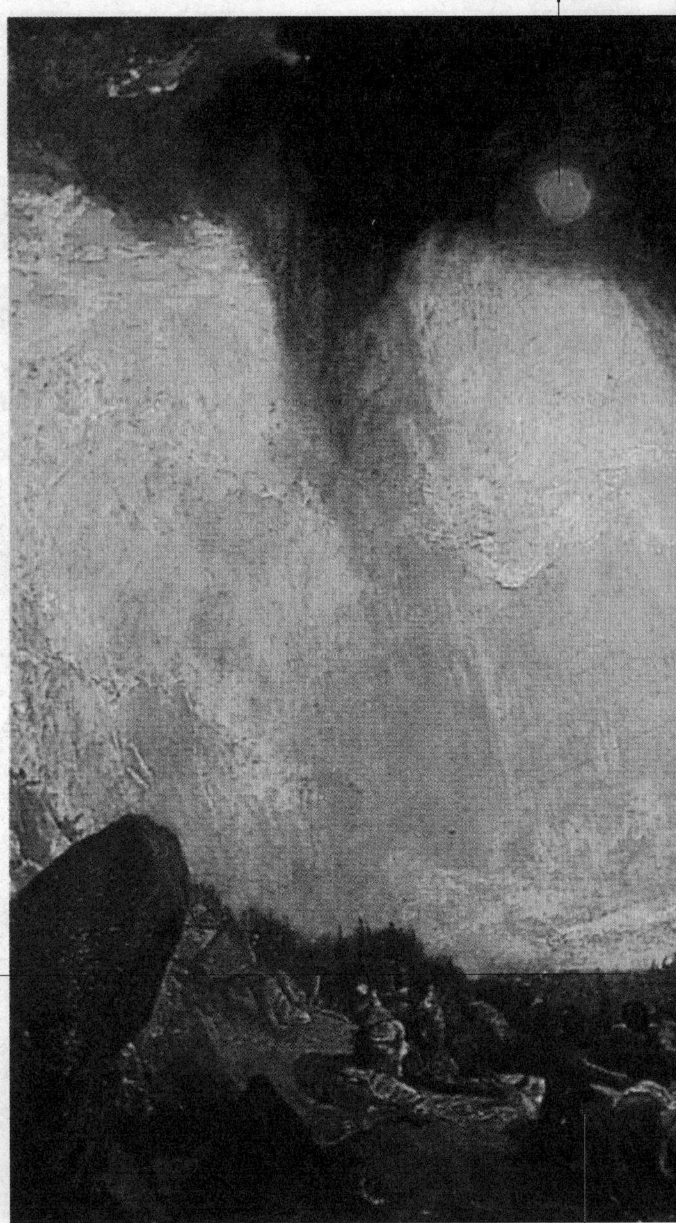

山岭间广阔的草原中一头战象远远地奔跑着，朦胧的轮廓显示骑着战象的人似乎正向这边用力地挥着手，不论是对厄运将来的警示还是兴奋之中对厄运毫不知情，地球上如此庞大的哺乳动物在风暴面前都变得如此渺小，更加深了人们对大自然壮阔的震惊。

近处裸露的山石中间，撒拉西部落的土著人正在打扫战场，其中左侧的战士正向奄奄一息的战败者奋力刺下致命的一剑，而右侧的人则惊恐地望着天空中呼啸着席卷而来的风暴，不知所措地呆立着。

远处巍峨的山峦被遮天蔽日的风暴遮掩得暗淡无光，群山背后巨大的风暴如同卷起的巨浪，给人以无与伦比的压迫感，渺小的生命在其面前无力挣扎。

白色雪崩在深色如夜的天空中分外的耀眼，漫天席卷的狂风展现出如同地狱般的恐怖，而渲染其间的雪更将大自然的怒火冲向一切，包括山脚下奋力死战的生灵。

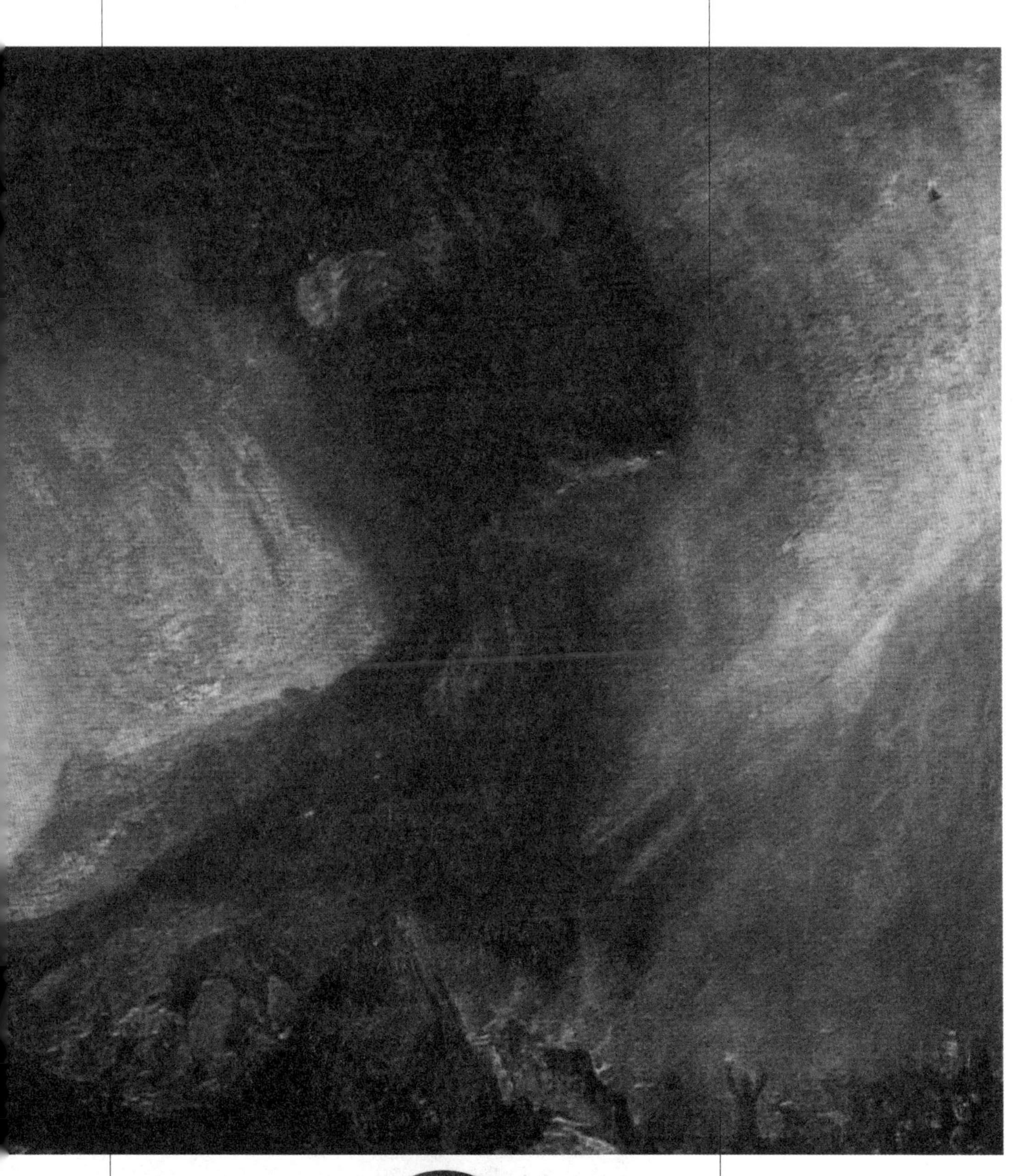

山岭边的撒拉西战士们正用力地推动巨大的岩石，使其从高处滚落，冲击山下混乱的敌军士兵。

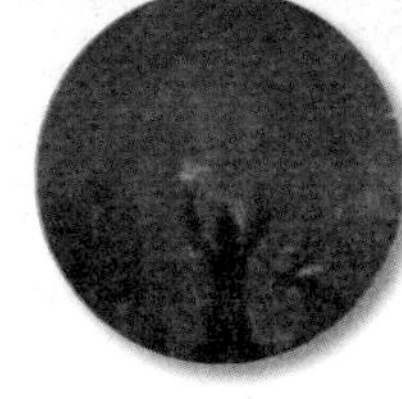

从天而降的雪崩下，渺小的生命奋力地惊呼着，模糊的战场轮廓中唯有一个较为清晰的人物背影，绝望的生命在最后一刻仍不忘呼喊，最终淹没在雪亮的刀锋和崩落的雪山中。

愤怒的人对侵略者充满着敌意，高昂的下颌突显出不屈的气节和不息的斗争精神，而这个人旁边的灰袍男子双手紧握在一起，呈现出哀求的姿势，清楚地流露出被屠杀的人中也有着部分毫不知情、不愿卷入纷乱事态的无辜平民。

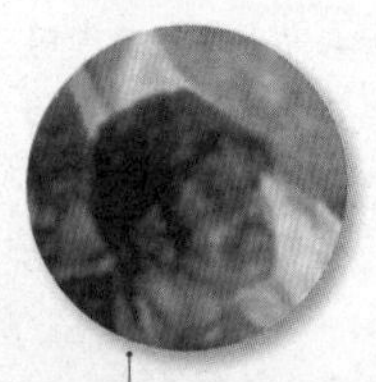

1808年5月3日

油画 弗朗西斯科·德·戈雅 1814年 266cm×345cm 现存于西班牙马德里普拉多博物馆

如漆的夜幕下死静的城市正发生着惨绝人寰的一幕，当拿破仑的军队攻占了西班牙之后，马德里奋起反击的民众遭遇了法军疯狂的屠杀，数以千计的反抗者和平民难以逃脱死亡的命运。艺术家用率真的笔触、鲜明的光影再现了这一幕惨剧，尖锐的对立和冰冷的枪口向人们诉说着人性的泯灭和战争的残酷，呼唤着人道主义精神的到来。

灯光中幽暗的围墙、夜幕中的权势建筑和屠杀执行者的士兵形成紧张的三方交错，两种不同的势力各自呈现着不同的态度和境地，相对比后面两者的冷酷来说，殉难者显露出更多的无奈和愤恨。

殉难者在死亡的威胁及哀怨的目光中透露出太多的东西——乞求、无奈、挣扎、怨恨，伸向天空的双手更是对这一切不平最痛彻的申诉，洁白的衬衫成为整幅画作的视觉中心，象征善良与无辜，在漆黑的夜晚与枪口前显得如此的弱不禁风。

殉难者的尸体和漫流的血液触目惊心，宝贵的生命以一种如此荒唐和残忍的方式结束，暗示枪口下的人们终究无法逃脱死亡的命运。

漆黑的夜空占据着画面三分之一的面积，无形中给人巨大的阴冷和压迫感，尖尖的塔楼安静地注视着这惨烈的一幕，无声的夜空让人感到无比的孤寂和荒凉。

法国士兵们穿着厚厚的军装，荷枪实弹，高高的军帽清楚地揭示了拿破仑军队的残暴行径，乌黑泛光的枪管则突显出士兵的冷酷无情。

屠杀执行者如此近距离地一字排开与被屠杀者形成了极具视觉冲击力的对比，而士兵们压低的帽檐和冷酷的背影，没有一丝一毫的面貌刻画，表达了艺术家深刻地认识到士兵们也只是权势者争夺利益的战争工具，在战争和人性面前，屠杀者与被屠杀者都是受害的一方。

梅杜萨之筏

油画 泰奥多尔·席里柯 1819年

491cm×716cm 现存于法国巴黎卢浮宫

苍茫的大海上，失事船只的船长弃其他人于不顾，为求生自行驾着救生艇离开，而其他幸存者在杳无希望却充满着危机的大海中漂浮在生与死的边缘，直到望眼欲穿的他们盼到救援船在海面上模糊的影子出现，艺术家以晦暗的色彩、精准的构图向人们展示了求生的阶梯如此的残酷，更吐露着对法国社会腐败的控诉和对人性泯灭的哀叹。

黄昏浓重的云彩似乎预示入夜暴风雨的来临，这与画面右侧金色的天空下救援船的影像相呼应，一面是充满紧迫感、压抑感的死亡危机，一面是充满安定感、归属感的求生希望。

迎风鼓起的船帆在如山般涌起的巨浪面前显得如此渺小和微弱，然而正是在这样的木筏上演绎着人们悲与喜、死与生的戏剧性一幕，在感叹坚韧的生命力的同时，也揭示了置这些遇难者于不顾的船长的残忍和无情。

支离破碎的木筏仅剩下小小的一块区域可以栖身，绝望的老者对于远方的救援船毫不在意，他用力抱在膝前的儿子的尸体突显了生命逝去后亲人挥之不去的悲苦。

呼救的幸存者们在木筏的一端聚集着振臂高呼，这些一息尚存的生命汇集成一个精准的金字塔形，人们经历着死亡、病痛和其他威胁，最终只有极少数人才能站在求生的顶端。幸存者高高挥动着的布条在充满动态的效果中暗示生命的残酷和不平。

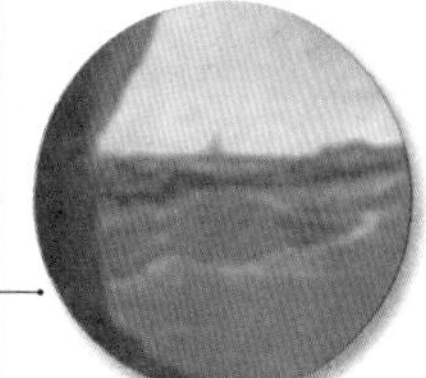

遥远的海平线上，一个微弱、渺小的舰船影子出现在人们的视线中。

浸泡在海水中被人遗弃的法军制服暗示艺术家对法国社会现实的不满，和对政治腐败的愤恨之情。

卷起的浪花间殷红的血色与倒下的尸体渲染出难以言喻的悲惨和恐怖，艺术家刻意以相对高亮的光线突显了近景处光洁的尸体，坚实的肌肉和躯体在厄运中只剩下空空的躯壳，残酷的现实逼迫着每个观赏者凝视着这些不该逝去的生命，从而产生强烈的心灵震撼。

第八章 20世纪

从“人类”的角度来看，画家所获得的个性解放无疑实现了时代伟大的跨越；但从“艺术家”的角度来看，似乎受益无多。

本章将几乎不可避免地看到大众化所必然带来的危机。在旧秩序消失以后，现在的人们通过回顾近一个半世纪的绘画总能发现，一切仍像50年或70年以前那样混乱不堪。

暴风雪中离港的汽船

油画 约瑟夫·马诺·威廉·泰纳 1842年 91cm×122cm 现存于英国伦敦塔特陈列馆

离港的汽船在猛烈暴风雪中的影像如同巨浪中颠簸得支离破碎的败叶，汹涌的海浪、迷离的水雾在肆虐的暴风中卷起地狱般的旋涡，吞噬着生命的希望和航线。模糊的轮廓、搅起的烟和绷紧的桅杆将那一瞬间生与死搏杀的惊心动魄表现得淋漓尽致。画家用断断续续的弧形轨迹、急速旋转的色彩和光明将大自然的震撼鲜活地搬到画作当中，让每个欣赏者对艺术家敏锐的观察力和深厚的艺术功底深深赞叹。

考费杜阿王和乞丐女

油画 爱德华·伯恩·琼斯爵士
1862年 76.2cm×63.5cm 现存于英国伦敦塔特陈列馆

这幅画作中的情景出自古老的英国民间传说，画面中描绘的是一位倾尽全力寻找世间完美女子的国王，一路艰辛，最终找到一个伪装成平民乞丐的意中人，她的高贵和纯美让世人为之倾倒，破落的装束丝毫不能掩盖她优雅的气质和天国仙女般神圣的光辉。艺术家致力于色彩的搭配和环境、人物细部特征的描绘，清晰的明暗对比完美地烘托出平民女子身上与众不同的古典之美，饱含着对骑士风采和浪漫时光的追忆。

工作

油画 福特·马多克斯·布朗 约1852—1865年作 134.6cm×196cm 现存于英国曼彻斯特市立美术馆

繁华的街市一角，茂密的大树旁一群手工艺者正在炎炎烈日下挥汗如雨地劳作，男人、女人、孩子、宠物繁杂地聚集在一起，与美丽的城镇、井然的街道形成鲜明的反差，从旁边信步而过、冷漠视之的商人、绅士、社会上层女子们则似乎完全处于另一个清凉的世界。艺术家擅长抓住生活中的细节，运用明快的色彩来展现对劳动者的赞颂，与土地一样的古铜色肌肤似乎在告诉人们劳动者才是这个美好世界的缔造者。

那么，究竟是什么原因导致了这种局面？谁又该对此负责呢？墙倒众人推，个人不能左右历史，真正的责任也就轮不到由某一个人来承担。原因总是多方面的，它不可能由单方面因素引起，众多因素中的每一个都以其特有的方式发挥着微妙的作用，从而让整体的思想变得更加的复杂、混乱。这种混乱是整个19世纪绘画艺术最明显的特征，尽管20世纪已经过去了38年，这种混乱依然存在。

我个人的想法虽不是什么解决问题的答案，但至少通过我向大家的介绍，我们可以尝试着获得某种解决办法。

完全废除了出身和等级崇拜的法国大革命之后，金钱至上成为短时间内建立起的崭新

的崇拜方式。以前继承头衔的人主宰着这个世界，如今金钱为人们实现任何离奇想法大开绿灯。没钱人的生活远比有钱人的生活捉襟见肘得多，这种变化在恐怖时代显而易见。的确，和阿道夫·希特勒一样，被赋予“廉洁”称号的罗伯斯庇尔虽也不受贿赂，但为了避免受大众关注，并没有对其进行彻底的“搜查”，事实究竟如何谁也不知道。

产业革命悄然起步之际，退出历史舞台的拿破仑对财富就有着意大利中产阶级式的崇拜。时至产业革命以后，金钱更是成为衡量人们成功与否的重要标准。

一位睿智的历史学家曾这么比喻：古钱币就如同贵族的统治。古钱币具有如陈年的葡萄酒比新酿的葡萄酒味道更美一样的特征。明智的贵族阶级非常清楚明确的标准对其生存的重要性。艺术也是如此，不管它在最辉煌的日子里所接受的标准是对是错，它都接受了存在的标准。然而在我们的时代，人们公开唾弃一切品德，任何行为标准的确立看起来都

干草车

油画 约翰·康斯泰博尔 1821年 130cm×185cm 现存于英国伦敦国家美术馆

碧蓝如洗的天空中舒展着如羊毛般厚密的云朵，广阔的田野、潺潺的小河、生机勃勃的林木让人体验到无比清爽、惬意的英国乡村风情。一架简单纯朴的干草车在马匹的拖拉下缓缓走过河床的浅滩，将画面中凝滞的诗意拖曳得鲜活起来，艺术家竭力将天空的光影与投射到地面上的光影融合起来，闲适、静谧的空气中飘荡着浓郁的怀旧气息，人与大自然之间和谐相处的美好激发出每个人的向往之情。

如此荒谬，一切规则都被视为无物，甚至将抛弃一切准则与标准认定为人生一大乐事。然而，这种态度我却不敢苟同。在理查德·瓦格纳的作品《名歌手》中，贝克马瑟并不能引起人们的注意，但他看起来却如此荒唐可笑。而汉斯·萨克斯的诗集也显示出这位大师对使用确定的韵律规则予以认同。也就是说，一旦艺术家丧失了能工巧匠的才华，就会与现实世界中的行会失去联系，其作品也变得一文不值。我并非在暗示这一时期画家的技巧逊色于前，相反，就如同现今普通音乐家的技巧普遍好于一个世纪以前的大演奏家一样，他们对绘画技巧的运用常常比以前数代人还要娴熟。今天，相信每个稍具规模的美国城市都有很多崇拜

一群鉴赏家

油画 理查德·考斯威 约1771—1775年 85cm×111cm 现存于德国柏林汤利大厅艺术博物馆

这是一幅艺术家应朋友汤利之邀绘制的描绘艺术鉴赏家们的画作，明亮的房间中几位艺术鉴赏家正用一种愚蠢、兴奋甚至近似色情的眼光去端详维纳斯像的完美裸体。画作中人物神态各异，有的人欲走还留，有的人忘记了他人的存在，有的人甚至有试图伸手触摸的冲动，唯有左手边第二个人与其他人形成鲜明的反差，这个人就是汤利，艺术家以一种辛辣的幽默表达了对鉴赏家的鄙夷与讽刺。

如此荒谬，一切规则都被视为无物，甚至将抛弃一切准则与标准认定为人生一大乐事。然而，这种态度我却不敢苟同。在理查德·瓦格纳的作品《名歌手》中，贝克马瑟并不能引起人们的注意，但他看起来却如此荒唐可笑。而汉斯·萨克斯的诗集也显示出这位大师对使用确定的韵律规则予以认同。也就是说，一旦艺术家丧失了能工巧匠的才华，就会与现实世界中的行会失去联系，其作品也变得一文不值。我并非在暗示这一时期画家的技巧逊色于前，相反，就如同现今普通音乐家的技巧普遍好于一个世纪以前的大演奏家一样，他们对绘画技巧的运用常常比以前数代人还要娴熟。今天，相信每个稍具规模的美国城市都有很多崇拜

一群鉴赏家

油画 理查德·考斯威 约1771—1775年 85cm×111cm 现存于德国柏林汤利大厅艺术博物馆

这是一幅艺术家应朋友汤利之邀绘制的描绘艺术鉴赏家们的画作，明亮的房间中几位艺术鉴赏家正用一种愚蠢、兴奋甚至近似色情的眼光去端详维纳斯像的完美裸体。画作中人物神态各异，有的人欲走还留，有的人忘记了他人的存在，有的人甚至有试图伸手触摸的冲动，唯有左手边第二个人与其他人形成鲜明的反差，这个人就是汤利，艺术家以一种辛辣的幽默表达了对鉴赏家的鄙夷与讽刺。

者能够演奏R.舒曼的协奏曲，并且还能演奏得跟舒曼那可怜的瑞典遗孀一样出色。数以万计从艺术学校走出的学生所复制的伦勃朗的画几乎与真迹没什么两样。过去的画家生活在艺术的真空时代，他们难有机会崭露头角，但他们的技巧与当代最优秀的大师一样值得称赞。没有人会仔细倾听他们的话，尽管他们有话想说。在那个时代，即便是说了又有什么意义呢?

由此我们得出一个论点：为什么人们对艺术如此冷漠？鉴于原因众多，想要说清其中影响最大的因素实属不易。现在，让我尝试着把它们清理出来。

草地上的午餐

油画 爱德华·马奈 约1862—1863年作

215cm×271cm

幽暗的林间草地上，一个一丝不挂的女子坐在两个衣冠楚楚的绅士中间，世俗两侧鲜明的对比和交锋中，柔和而充满黑色神秘气息的环境使得直视画面外的女子脸上淡淡的笑容极具视觉冲击力。草地上凌乱的野餐和凹凸有致的女性胴体似乎暗示着食色之间难以区分的原始和野性冲动，而充满刚性的笔触和用色似乎也在证实着艺术家对原始欲望的坦诚，充满神秘色彩的画意让这幅作品曾饱受指责和争议。

我曾经说过，随着数个世纪以来为艺术提供庇护的行会和高标准艺术技巧的消失，艺术家的行为已不再受到限制，艺术家们似乎拥有了选择绘画主题的绝对自由。然而，事实并非如此，突然钻出来的艺术评论机构再度接管了对艺术家行为、活动的掌控权。虽然自17世纪以来就有这么一类人写有关画家的书，他们简明扼要地评述画家的水平，有时也引用少量杰出的画作，但却极少涉及现代意义上的评论家所持有的冒险观点。

18世纪中叶以后，所有的一切都变得不同了。出于向人们阐述有关美真正本质的理论的重要目的，一位学识渊博的德国教授提出了一种新的或者说是相当虚伪的科学，即所谓的“审美学”。

龚达密涅路上的艺术家工作室

油画 弗雷德里克·巴齐耶 1870年作 97cm×112cm 现存于法国巴黎奥塞美术馆

画作中展现了艺术家们之间让人羡慕的和谐世界。巴齐耶在宽敞的画室中将自己的一幅作品展示给戴着帽子的莫奈和好友马奈品评、观赏，而悠闲地坐在楼梯下的雷诺阿正抬头与走到楼梯上的作家左拉谈论着什么，房间最右侧的人正专注地弹奏着新谱的曲子。艺术家们之间以艺术灵感为纽带的自由、坦诚的交流是他们日常生活中最重要、最常见的事情，大胆的色彩运用使空旷的空间中填满了人们对艺术生活的热爱。

舞会

油画 皮埃尔·奥古斯特·雷诺阿 1876年作 78cm×114cm 私人收藏

宽敞的庭院中，煦暖的阳光从繁茂的枝叶间洒落，年轻人们穿着入时的装束聚集在一起，或谈笑风生，或悠然自得，或翩翩起舞，享受着青春最曼妙的时光。这是法国巴黎一家著名的咖啡馆，艺术家曾花费了大量的时间和精力去观察阳光投射到地面和人物身上不同部位时所呈现出的光影效果。艺术家竭力避免以枯燥、单调的黑色作为阴影效果，取而代之的多彩光影记录了艺术家对曾逝去的绚烂青春最好的记忆。

就如同一个人向你解释他喜欢哥根索拉奶酪而讨厌菠菜的原因一样，人们出于本能地喜欢某一事物或者讨厌某一事物，以前从未有人需要他们为这种感受做出解释。在洛可可时期伤感的人群中间审美学异常盛行。如果理智能够让我们的一切问题迎刃而解，那么审美学就是我们认同真正伟大的事物而拒绝鄙俗事物的标志。一个具有审美意识的哲学家成长为深谙其道的艺术评论家并不需要大费周折。面对唯一可能会为其作品支付报酬的编辑，审美哲学家们也就不得不为保住饭碗而低声下气。

随着艺术评论家这个行业出现在艺术家圈子内部后，艺术家们迅速地达成了共识，他们认为这些艺术评论家并不了解艺术家的绘画，他们是多余的，而且完全不值得艺术家重视。或许这种观点是正确的。尽管艺术家对评论家嗤之以鼻，但他们仍深深认同这样的现实：画家和音乐家要想获得成功必须依仗那些评论家的支持和认同。于是，艺术家在面对其“敌人”艺术评论家时至少懂得了曲意逢迎。这种迎合对画家、音乐家、雕刻家甚至外行人所产生的影响随处可见。从前的艺术家仅仅迎合雇主，他们创作并将这些画卖给雇主，将自己的画展示在教堂或宫殿里的公众面前。然而此刻，艺术评论家故意介入墙上展示的画与欣赏画作的公众之间那块狭小的开放空间，艺术家们开始不得不考虑这类第三方的存在。更何况，对于似乎无力阐述个人观点的公众来说，评论家还担负着解释油画内

灰与黑的改编曲一号：画家的母亲肖像

油画 詹姆士·艾博特·麦克尼尔·惠斯勒 1871年

这幅画作中性格桀骜的艺术家以其倔强的笔触向世人展示了完美的人物肖像画，线条、色彩与形式的和谐布局远远重于局部细节的雕琢和挖掘，然而却遭到评论家们的冷嘲热讽。艺术家以一种叛逆的角度观察和描绘着这个世界，墙画、窗帘、地板、人物装束明显的灰暗色调经和谐、巧妙的布局后反而充满着灵动和韵律，尤其是窗帘上跳跃着的不规则花纹与浓黑的装束将人物肖像的局部特征反衬得格外鲜活、突出。

恋人游乐园酒吧

油画 爱德华·马奈 1882年 96cm×130cm 现存于英国伦敦考陶尔德画院美术馆

灯火通明的酒吧内充斥着社会不同阶层的人，热闹的人群和嘈杂的声音被一道朴实无华的包厢隔板阻隔在那里，喧嚣的人群与安静的酒吧女苏珊被完全隔绝在两个世界。简洁明快的布局促成鲜明的视觉反差，明亮的光线使画作中少见阴影，却给人一种恍惚、目眩之感，并带领人们进入苏珊的内心世界，苏珊与一个绅士的交流似乎暗示沉默其实更是一种倾诉，她渴望着交流或有人带她脱离这个令人窒息的空间。

涵、绘画技巧的完美与缺陷的责任。

相信我的每位读者都有过被评论家介入的经历，在这个问题上我也就无须浪费过多篇幅。在人们听音乐会时，作曲家以法国号的长音紧接着小提琴飞快演奏的一小节开始第二乐章第一乐句时所表达的丰富感情是什么，会在一份印制精美的节目单中看到详细的说明。在人们参观画展时，又有几回不被事先刊载在报纸上由适时委派的艺术评论家的署名文章所影响呢？或许这位仁兄的品位不见得比彩色图案明信片出版商高多少，人们对此有所耳闻甚至怀疑，但毕竟你是外行，他是评论家，所以你没有他知道的多。

总而言之，我认为评论家给艺术带来的影响弊大于利。并不具备艺术创作能力的评论家通过各种评论将其在真正事业上所遭受挫折而形成的所有狡诈和怨恨发泄出来，他们表达着掺杂个人喜好与偏见的观点，享受着在艺术家头上作威作福的权力。他们必须有一群追随者，必须小心谨慎地编织着自己的集团以维持其生存地位。如同欲成为政治领袖的年

保罗·海留偕妻写生

油画 约翰·辛格·萨金特 1889年 66.4cm×81.6cm 现存于美国纽约布鲁克林博物馆

静谧的河岸边乱草丛生，一个衣衫朴素的平凡画家正专心致志地描绘着他的作品，微微前倾的身体、手中握满的画笔、微屈捏起的右手等细节生动地展现了户外写生时艺术家的辛劳和全情投入，却似乎过分冷落甚至忘记了侧后方倚靠着他落寞的妻子。艺术家以短促的笔触、精到的色彩将芦苇与草地的自然杂乱层次描绘出来，红色光洁的木舟和两顶依偎在一起的帽子则表达了一种赞赏和鼓励。

轻人在向政治顶峰前进中必须建立自己监控的集团核心组织一样，他们知道“同道中人”亦在做着同样的事情，也深深懂得，强烈的人为党派偏见是玩转这个游戏的重要基础。尽管其生活环境远比政治野心家纯净得多，但艺术评论家却严格遵循着相同的方式。在他的竞争对手铺天盖地像欢迎新时代真正先知一样去赞颂艺术家们时，他却对诸如弗朗兹·李斯特或理查德·瓦格纳等新生作曲家报以假充内行、笨蛋、音乐骗子的称呼，竭尽攻击之能事，以达到自己的目的，吸引公众的注意。皆因他深深懂得，以弱者的身份去公开揭露反唇相讥的艺术家，即便是公开指责德加、杜米埃或惠斯勒是一群无耻的骗子或胆小鬼，若有不堪忍受的艺术家就会被公众视为缺乏起码的宽容大度。于是，艺术家们对于任何地方遭遇评论家的任何不公正的抨击只能保持逆来顺受的态度。

评论家们与字画商的密切合作在19世纪的欧洲一刻也没有停止过。评论家通过撰写文章来营造一个颇具时尚的绘画市场，画商的职责则是诱使公众接受前者的推销。

也许对于推销早餐食品和化妆品来说，广告有着一定的效果，甚至非常必要。但这类广告的存在对艺术家来说，却是毁灭性的。尽管这种手段能给个别画家和画商带来财富，却致使艺术转变成短期疯狂或流行的投机性质的东西，如同冰上燃起的篝火，即便同样能发出炫目的光芒，但片刻即会化作一地残灰。

如果你能从上述的情况中得出19世纪艺术家生活在极其悲惨境地的结论，那么无疑你确实看到了问题的关键。画家同音乐家一样依旧在各种外在环境的重重包围中坚持着信念。这些优秀的人无法放弃自己的理想与创作冲动，只能不计得失和后果地绘画和作曲。在拥有推销天赋或道德良知之前，他们永远会从自己这种毫无直接目的的做法中深深感到身处位置的尴尬、他们正在创作一种相对不协调的作品。也许某个地方有人因天生喜欢绘画或者是绘画迎合了他作为艺术品保护者的虚荣心而购买了艺术家的一幅画。或者，画商充满自信的推销致使艺术品的购买成为一项有利可图的投资。某座城市欲购买几幅油画艺术品作为其宣传其较高文化品位的一种便利手段，尽管这些作品很快会被闲置在博物馆中。可以说，整个城市为教堂里的一幅色彩鲜艳的绘画而兴奋不已的时代已经过去，教皇和国

最佳位置

油画 劳伦斯·阿尔玛·塔迪马爵士 1895年作 64.2cm×45cm 私人收藏

三位年轻女子聚集在极高的建筑物顶端一角处，观看着缩小如玩具般的船只驶入港湾。柔软、轻薄的服饰质地，典雅、厚重的大理石建筑，凝重、威猛的青铜雕塑，艺术家以柔美的线条、超绝的用色将人物的青春之美和大自然的壮阔之美绘于一处。艺术家对光线高度精妙的细致处理，显示了他对远近透视法深刻的理解和运用，将古典韵味与写实风格完美地融合，深受维多利亚女王时代英国社会各阶层的青睐。

王为得到某位知名艺术家的服务而争吵不休的时代也已经过去。

得到了个性解放的画家事实上却成为艺术上的迷途者。在以前的时代里，穷困的艺术从业者如果实在对绘画缺乏兴趣，待他找到一份有适当收入的舒服工作以后即可以结束绘画生涯。但现实却是这类人多以低级和粗野的笔调来反抗抛弃他的社会，转变成一个放荡不羁的人。

活动不再受任何确定标准所限的艺术家也成了伟大的实践者，他们借鉴中国人、波斯人、阿兹特克人和陌生的非洲部落的风格，尝试着与众不同的绘画方式。过去的年代里曾遭受众多严格限制的天才们，在现如今可以大声宣布自己不再受任何形式或色彩规定的约束。艺术家将画室变成实验室，他如同维萨里解剖偷来的尸体一般在自己的实验室里从事光线的分析研究，尽管不太成功。他将夕阳描绘成绿色，将人的面孔描绘成绿色，将红色玫瑰描绘成蓝色，将黄色沙滩描绘成蓝色。他更将自己粘在手织材料或黑色纸板上的少量马鬃称为民主的灵魂或女性的胜利。他非常鄙夷地看待过去的作品，将其视为人类精神被束缚的野蛮时代的遗迹。然而，他却呈现给我们如同一位狂躁顾客在电话亭墙上随手涂鸦

三匹红马

油画 弗朗兹·马尔克 1912年作 66cm×104.5cm 现存于德国斯图加特国家画廊

起伏的山峦、云影前，三匹红色的马安详、温顺地站在一处，马匹形态极具张力的曲线美在弧形的山与弧形的云之间显得高贵、典雅，富有韵律和勃发的生命力。艺术家对色彩的运用有着独特的理解和感悟，象征女性温和性感之美的黄，象征男性坚韧、冷静之美的蓝，在炽烈狂放的红与和谐平衡的绿的点缀下，显露出充满温情和生命力的自然之美，更暗示着一种灵魂的释放和精神的皈依。

一般的作品。要么承认他是最新思想的探路者和1938年精神的领袖，要么接受艺术上的顽固派和精神上的反动者的指控，他让我们只能从两者择其一。就如同他同时拉响所有工厂的警铃以噪音来为弦琴伴奏，然后却要求人们承认这是劳动交响乐一样。

处事精明的艺术家总能找到几个评论家愿意宣布他是时代精神最新的预言家，并嘲笑那些不欣赏这些代表人类新精神作品的人是冥顽不化的保守派。

画家失去了建筑师对他的依赖以后，尽管有些绘画作品看起来更像是很奇怪的颜色调和物，但画家还是找到了几个亲自挑选出来的学者，成功推销并说服他们将画挂在了房间的墙壁上，这样做的结果是将势利主义这个最危险的因素引入艺术界。

我不希望读者将这篇艰涩的长篇演讲看作我回到18世纪末以前文化的企图。有些人被沐浴在阳光中出乎意料的大地之美而深深打动，以至于受到刺激的眼睛将天空看成浅绿色或灿烂的猩红色，这的确可以让我理解。这种很可能发生的经历也许从未在你的身边发生过，但绝不意味着别人也跟你一样。倘若人们拥有将内心深处真实感受表达出来的必要技巧，就能够通过各种各样的方式来描绘不同的事物。会游泳的人一定能够明白我所说的意思。优秀的游泳者能以任何姿势漂浮在水面上，只需要动几下指头，摆动一下脚趾，有时甚至老练到什么都不用动。教练把胳膊折回胸前和屈膝的指导在他看来并不一定要听取。在他们看来，游泳训练已完全变为一种无意识的水中行为，就如同老练的画家和小提琴家即便是在极度松懈的条件下，也能达到期望的表演效果。艺术家像游泳者一样，完全主宰着他们灵魂和身体中无意间迸发的技巧，或者就像人们所常说的

裸女

油画 阿美迪奥·莫迪里阿尼 约1912年作 92.1cm×60cm 现存于英国伦敦科特尔德艺术研究中心

在一处狭窄、粗陋的灰色调空间中，一个女子斜坐在椅子上，被刻意拉长的人体线条以及肘部、腰部、大腿的细节处理突显出女性的阴柔之美，舒展的肢体语言暗透着一种富有韵律的美感。顺滑的长发、柔美的肌肤、玲珑的曲线……女性香艳特征尽在高低不对称的肩头和近乎刻削的面部轮廓间变得庄重、脱俗起来，极具视觉的冲击力，整幅画作暗示青春的消逝和生命的孕育。

自画像——作为一位小提琴家的死亡

油画 阿诺德·勃克林 约1871—1874年 75cm×61cm 现存于德国柏林国立艺术博物馆

幽深而神秘的黑色背景中一位坚毅的艺术家倾听着死亡的旋律陷入沉思，画作再现了德国艺术中曾盛行一时的主题——“死亡之舞”。即便是无力挣脱最终死亡的结局，艺术家仍能在死神的气息下以本能去寻找艺术的灵光闪现，他身后徐徐拉动小提琴琴弦的死神反而成为艺术家崇高精神最绝妙的注解。没有人知道生命结束时戛然而止的音符，但画笔与调色板所缔造的艺术却能获得永生。

那样，艺术家“驾驭着他们的技巧”。技巧始终存在，直到艺术家不再被变化多端的技巧所奴役，技巧就转而成为艺术家最顺从的仆人。正如我现在驾驭着我的一个嗜好，并以此创作出有关艺术的书籍，让人们从中思考精湛技艺的重要性。

身为优秀手艺人的艺术家，用其喜欢的方式做着自己想做的事情。然而，有时艺术家也像游泳新手一样，不能完全驾驭他们的技巧，他们感到恐惧。并可能被随之而来观众的不满之声淹没，甚至不再从事绘画。

这种情况目前来看，对艺术家和公众都是毫无益处的。它会永远地持续下去吗？不，肯定不会！但很可能会持续一段很漫长的时间。尽管我们再次意识到完美技巧的重要性，但因为我们处在变化多端的时代，处于世界前所未有的思想、社会和经济的伟大变革之

阿尔让特伊的秋天印象

油画 克劳德·莫奈 1873年 55cm×74cm 现存于英国伦敦考陶尔德画院美术馆

艺术家以其如神的色彩、多变的笔法向人们展示了秋天自然生命的跃动。湛蓝的天空、倦倦的云朵以及蓝顶白墙朦胧的城镇轮廓在河边上投下粼粼的倒影，画作主体对河岸两侧树林的描绘则突显出艺术家让世人难以企及的观察力和绘画功底，逐渐堆厚的浓丽色彩将秋日灿烂的阳光在林间、枯叶中纵横交错的光影效果层层叠叠地呈现出来，秋风中闪耀的黄叶仿佛有生命在摩擦跃动、细语低喃。

W·BOVGVEREAV

中，要克服我们的心理障碍并非易事。旧的思想被摧毁，而新的思想尚未萌生，这意味着在已被抛弃的旧有标准基础上，新的让人满意的标准还远未建立起来。对于把个性解放（思想与行动上的自由）看作是最大特权的我们来说，欧洲许多国家的人将新理想和新标准强加给普通大众的方法并不适合我们。我们需要的是用自己方式亲自研究出来的新理想和新标准，否则，它们对我们仍旧一文不值。

不省人事的竞争者

油画 劳伦斯·阿尔玛·塔迪马爵士 1893年 45cm×63cm 现存于英国布里斯托艺术博物馆

奢靡、华丽的庭院中春色盎然，两个女子依靠在大理石的护栏边或坐或立沉浸在爱的遐思当中。凭借着对古典艺术的理解和痴迷，艺术家将典雅、精美的大理石雕刻与曾经盛极一时的罗马帝国风韵重新呈现在人们面前，以柔美而充满暧昧气息的笔触讲述着一个如梦幻般的古典浪漫故事。艺术家以自己的方式表达着对繁荣帝国和古典浪漫情韵的无限向往，感叹着历史在时光深处那些无法泯灭的印迹。

在这个瞬息万变的时代，人们可以为自己的幸福生活提前做好准备。对于现代的画家，我们可以通过结合对过去画家作画方式的理解来更好地进行品评。而在我们的时代，画家们正试图用自己的语言来解决1938年的问题。

抗拒爱神的少女

油画 阿道夫·威廉·布格罗 约1880年 80cm×55cm 现存于美国洛杉矶保罗·格蒂博物馆

青翠的藤蔓枝叶下，一个上身赤裸的少女坐在方石上，将欲拿箭头刺中她的“爱神”丘比特轻轻推开。艺术家以明快的色彩、精细的笔触诉说着正值青春期的少女在纯洁、矜持的少女情结与炽烈、迷人的恋爱之间，反复纠结的矛盾、复杂的心理：既要安守清白，与爱神之箭保持距离；又无法按捺萌动，渴望脱离孤独的内心世界。高远空旷的背景暗示少女高傲、孤寂的内心世界，而光线下琥珀色的树叶又衬托了少女的多情。

20世纪

美国

乔治·英尼斯（1825—1894）：

《磨坊蓄水池》，芝加哥艺术学院

詹姆士·艾博特·麦克尼尔·惠斯勒（1834—1903）：

《画家母亲》，巴黎，卢浮宫

《下落的火箭：黑色与金色的夜景》，芝加哥艺术学院

《托马斯·卡莱尔像》，格拉斯哥，艺术画廊

温斯洛·霍默（1836—1910）：

《海湾溪流》，纽约，大都会艺术博物馆

托马斯·伊肯斯（1844—1916）：

《格罗斯教授的外科诊所》，费城，杰斐逊医学院

《思想者》，纽约，大都会艺术博物馆

玛丽·卡萨特（1845—1926）：

《年轻的母亲》，巴黎，卢浮宫

《母亲与孩子》，纽约，大都会艺术博物馆

艾伯特·匹克汉姆·赖德（1847—1917）：

《海上苦力》，安多维尔，菲力普斯研究院

约翰·辛格·萨金特（1856—1925）：

《温德汉姆小姐们的像》，纽约，大都会艺术博物馆

荷兰

文森特·梵高（1853—1890）：

《阿里斯女郎》，纽约，大都会艺术博物馆

英国

约瑟夫·马诺·威廉·泰纳（1775—1851）：

《卡莱斯·皮尔》，伦敦，国家美术馆

《打斗中的冒失鬼》，伦敦，国家美术馆

《尤利西斯嘲弄波吕斐摩斯》，伦敦，国家美术馆

约翰·康斯泰博尔（1776—1837）：

《干草车》，伦敦，国家美术馆

《斯图尔河景色》，纽约，大都会艺术博物馆

福特·马多克斯·布朗（1821—1893）：

《工作》，曼彻斯特市立美术馆

但丁·加布里埃尔·罗塞蒂（1828—1882）：

《蒙娜·芳娜》，伦敦，塔特艺术馆

《利丽丝女士》，纽约，大都会艺术博物馆

约翰·埃弗雷特·米莱斯爵士（1829—1896）：

《洛伦佐与伊莎贝拉》，利物浦画廊

《波蒂亚》，纽约，大都会艺术博物馆

爱德华·伯恩-琼斯爵士（1833—1898）：

《考费杜阿王与乞丐女》，伦敦，塔特艺术馆

法国

雅克·路易·大卫（1748—1825）：

《苏格拉底之死》，纽约，大都会艺术博物馆

《拿破仑一世加冕》，巴黎，卢浮宫

让-奥古斯特·多米尼克·安格尔（1780—1867）：

《泉》，巴黎，卢浮宫

《M.伯廷像》，巴黎，卢浮宫

让·路易斯·泰奥多尔·席里柯（1791—1824）：

《梅杜萨之筏》，巴黎，卢浮宫

让·帕迪斯特·柯罗（1796—1875）：

《德阿伏雷城市》，纽约，大都会艺术博物馆

《宁芙们的舞蹈》，巴黎，卢浮宫

《晨》，巴黎，卢浮宫

尤金·德拉克洛瓦（1798—1863）：

《塞欧的大屠杀》，巴黎，卢浮宫

《但丁的呐喊》，巴黎，卢浮宫

《诱拐丽贝卡》，纽约，大都会艺术博物馆

奥诺雷·杜米埃（1808—1879）：

《共和国》，巴黎，卢浮宫

《三等车厢》，纽约，大都会艺术博物馆

古斯塔夫·库尔贝（1819—1877）：

《放逐的波兰人》，纽约，大都会艺术博物馆

皮埃尔·布韦斯·德沙瓦尼斯（1824—1898）：

《圣吉纳维芙传奇》，巴黎，万神殿

卡米勒·毕沙罗（1830—1903）：

《林中浴者》，纽约，大都会艺术博物馆

爱德华·马奈（1832—1883）：

《奥林比亚名妓》，巴黎，卢浮宫

《草地上的午餐》，纽约，大都会艺术博物馆

埃德加·德加（1834—1917）：

《排练》，纽约，大都会艺术博物馆

《在酒吧练习的舞女》，纽约，大都会艺术博物馆

保罗·塞尚（1839—1906）：

《蓝色花瓶》，巴黎，卢浮宫

《玩纸牌者》，宾夕法尼亚，马里奥，巴恩斯基金会

《风景》，纽约，大都会艺术博物馆

克劳德·莫奈（1840—1926）：

《滑铁卢桥》，巴黎，卢浮宫

《雪中干草堆》，纽约，大都会艺术博物馆

奥古斯蒂·雷诺（1841—1919）：

《夏班提埃夫人和她的孩子们》，纽约，大都会艺术博物馆

《蒙特马尔特舞会》，巴黎，卢浮宫

亨利·卢梭（1844—1910）：

《丛林》，芝加哥艺术学院

保罗·高更（1848—1903）：

《游魂》，纽约，现代艺术博物馆

《自画像》，纽约，切斯特·戴尔收藏

乔治·修拉（1859—1891）：

《大杰特岛》，芝加哥艺术学院

亨利·德·图卢兹·劳特累克（1864—1901）：

《马戏团》，芝加哥艺术学院

德国

汉斯·冯·马雷（1837—1887）：

《沃邦之死》，慕尼黑

瑞典

安德斯·左恩（1860—1920）：

《自画像》，佛罗伦萨，乌菲齐博物馆

《波特尔·帕尔默夫人像》，芝加哥艺术学院

瑞士

阿诺德·勃克林（1827—1901）：

《罗马风光》，纽约，大都会艺术博物馆

美国

约翰·斯隆（1871—1951）：

《沙尘暴》，纽约，大都会艺术博物馆

约翰·马林（1870—1953）：

《陆地和海洋的风》，纽约，一家美国住所

博德曼·鲁宾逊（1876—？）：

《考夫曼百货商店里的壁画》，皮兹堡

乔治·贝洛斯（1882—1925）：

《艺术家母亲的像》，芝加哥艺术学院

爱德华·霍珀（1882—1967）：

《灯塔山》，纽约，现代艺术博物馆

洛克韦尔·肯特（1882—1971）：

《鹿的季节》，芝加哥艺术学院

《出海》，布鲁克林博物馆

乔治亚·奥基夫（1887—1986）：

《大牧场教堂》，华盛顿特区，菲利普斯纪念馆

托马斯·哈特·本顿（1889—1975）：

《社会研究新学院壁画》，纽约

《惠特尼美国艺术博物馆壁画》，纽约

查尔斯·伯奇菲尔德（1893—1967）：

《公民的进步》，纽约，私人收藏

格兰特·伍德（1892—1942）：

《美国的哥特风格》，芝加哥艺术学院

英国

奥古斯塔斯·约翰（1879—？）：

《微笑的女人》，伦敦，塔特艺术馆

法国

阿尔伯特·伯斯纳德（1849—1934）：

《取暖的女人》，巴黎，卢浮宫

亨利·马蒂斯（1869—1954）：

《穿黄衣服的女孩》，巴尔的摩，埃蒂·考维收藏

《餐具柜》，巴黎，卢浮宫

乔治·鲁奥（1871—1958）：

《马戏团女郎》，纽约，私人收藏

安德烈·德兰（1880—1954）：

《正午的风景》，纽约，现代艺术博物馆

莫里斯·郁特里洛（1883—1955）：

《蒙特马尔特街》，纽约，切斯特·戴尔收藏

安德烈·洛特（1885—1962）：

《德阿维侬的夫人们》，芝加哥艺术学院

德国

马克思·李卜曼（1847—1935）：

《绳索之路》，纽约，大都会艺术博物馆

洛维斯·柯林特（1858—1925）：

《自画像》，波兹南博物馆

保罗·克利（1879—1940）：

《浪漫的公园》，纽约，E.M.瓦尔堡收藏

弗朗兹·马尔克（1880—1916）：

《三匹红马》，斯图加特，斯图加特国家画廊

奥斯卡·考考斯卡（1886—1980）：

《罗安·蒙特斯哥公爵夫人像》，埃森，福克王博物馆

乔治·格罗茨（1893—1959）：

《冷餐柜》，芝加哥艺术学院

意大利

阿美迪奥·莫迪里阿尼（1884—1920）：

《裸女》，纽约，英国伦敦特尔德艺术研究中心

乔吉奥·迪奇里科（1888—？）：

《伟大的玄学家》，宾夕法尼亚，马里奥，巴恩斯基金会

墨西哥

乔斯·克莱门特·奥罗兹科（1883—1978）：

《普罗米修斯》，加利福尼亚，克莱尔蒙特，波莫纳学院

《图书馆壁画》，新罕布什尔，汉诺威，达特莫斯学院

迭戈·里维拉（1886—1957）：

《教育部壁画》，墨西哥城

《证券交易所壁画》，旧金山

俄国

瓦西里·康定斯基（1866—1944）：

《赞同与反对》，纽约，S.R.古根海姆收藏馆

西班牙

伊格纳西奥·佐罗加（1870—？）：

《丹尼尔·佐罗加和他的女儿们》，巴黎，卢浮宫

帕伯罗·毕加索（1881—1973）：

《裸体》，巴黎，吉劳米收藏

《曼德林的表演者》，芝加哥艺术学院

让·米罗（1893—1983）：

《朝月亮狂吠的小狗》，纽约大学

觉醒的良知

油画 威廉·霍尔曼·亨特 1853年 76cm×55cm 现存于英国伦敦泰特美术馆

富丽堂皇的房间内，一个年轻的绅士正欲拉住他包养的情妇，然而对于真正幸福生活的向往和渴望让姑娘在怀旧的歌曲中重新找到了生命的坐标，她充满快乐与期待地走向别墅窗外明媚的阳光，觉醒的良知引导她走向真正属于她的春天。艺术家以绚烂的色彩描绘了一幅充满着感伤和浓郁道德寓意的场景，展现出浓烈的维多利亚风格。

窗外充满生机的树叶上隐现着阳光温暖、白亮的光晕，这些光暗示姑娘生活的希望，而院落中盛开的白玫瑰正是纯洁的象征，寓意姑娘最终将走出困扰的阴霾，重现生命的纯净无瑕。

明媚、绚烂的阳光透过窗子投射到房间中巨大的镜子上，姑娘被窗外的真实和美妙深深吸引，巨大的镜子象征真实和空虚的两面，对于姑娘来说，空虚的爱情和生活在真实的感受面前不值一提，而姑娘最终的选择也是倾向真实的一面。

年轻的绅士衣冠楚楚，兴高采烈地欲将姑娘拉回到他身边，他脸上挂着的色欲和贪婪与姑娘脸上的真诚形成了鲜明的对比。

桌子底下黑猫正追逐着逃命的小鸟，眼睛中透出贪婪的光，这一场景暗示房间中两个人最本质的关系。

落在地上的乐谱是爱德华·李尔的歌曲《泪，无谓的泪》。吐露着姑娘对天真过去的怀念和对可悲现实的憎恶，暗示姑娘对现有生活的无比悔恨。

钢琴上的花瓶中插着寓意纠缠不清的牵牛花，这种花柔弱异常，看似美丽，实则是依靠藤蔓缠绕在其他植物之上，与姑娘的处境惊人的一致。

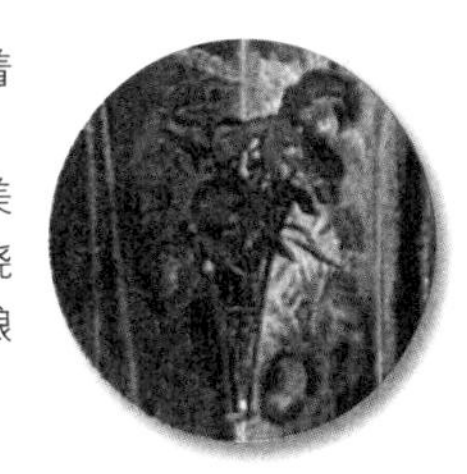

贞洁女神拥抱着丘比特的座钟暗示姑娘对贞节的守护，尽管她满心期待美满的爱情，但这种寄人篱下、出卖青春的“爱情”绝不是她想要的。

姑娘紧握的手指间除了意味着结婚的无名指上没有戒指以外，其他手指都戴着戒指，暗示两个人是无法告人的情人关系。

姑娘腰部围着漂亮的红色围巾，红色的围巾暗示男子给予她奢华安逸的生活，但却并非她想要的真正美好的生活，因而她试图从男子的怀中挣脱出来，女子眼中忽现的希望正是窗外惬意的阳光。

洒进房间的阳光照着地上拆乱的毛线，杂乱的毛线象征姑娘杂乱的心境，而明亮的阳光则暗示姑娘终将脱离苦海，重新步入阳光中。

画室

油画 古斯塔夫·库尔贝 1855年

361cm×598cm

宽敞的画室中挤满了各形各色的人，艺术家安静地坐在画板前，绘制着他心中故乡的优美景致。充满才华和个性的库尔贝试图以绘画的形式来表达他对艺术的信仰和对自身观点的执着。作为写实主义艺术的支持者，库尔贝对世间功利、世俗、虚伪、独裁非常厌恶与痛恨，其画作中充满戏剧性和神秘色彩的构图引发了人们无尽的猜想。

高大、昏暗的墙壁上隐约呈现着艺术家极具争议的两幅作品，这两幅以农民和肥胖裸女为主题的画作激起了评论家与正统绘画思想的强烈抵触和不满，偏离了传统“高雅艺术”是最大的争议之一。

艺术家左侧的房间中安静地坐着犹太人、士兵、工匠、爱尔兰女子、狩猎者、独裁者等众多人物，对于这些人艺术家并未流露出什么感情色彩，而是以一种淡然的心态质疑这些人对于虚无、梦幻的东西漫无边际的盲目追逐。

随便堆在地上的是插着羽毛的软帽、吉他、短剑与斗篷，这些艺术家和评论家追求浪漫主义所喜闻乐见的元素与现实生活中的人们却格格不入。

天真好奇的孩子认真地昂着头，观看艺术家绘画。对艺术家来说，怀着一颗纯净的赤子之心，用真诚的眼光看待、表述和评价这个世界远比夸夸其谈有益得多。

艺术家背后的裸体女子褪去了身上的衣衫，以一块缎子遮住自己的身体，寓意赤裸的真理。这才是艺术家所追求的终极艺术，如实地反映事物的本质，忠于生活。

明亮的光线从右侧的窗户外透进来，寓意生生不息的生命之光，也只有这些善良与真诚的人才能沐浴在这美妙的光线中，发现和缔造生活中新的艺术之美。

艺术家倾斜着头，托着画板，拿着画笔认真地描绘着自己家乡的美丽景致，这类风景主题画作在正统美术机构看来是毫无价值的，而这与库尔贝对于艺术的见解完全相反。

艺术家右侧的房间中整齐地站着艺术家所敬慕或对其艺术经历有过帮助、激励的人，这些人都以一种坦诚的目光注视着画室中的一切。众多人物简洁的视线汇合点与左侧复杂纷乱难以理顺的视线完全两样，也许这是对人物内心世界最醒目的衬托。

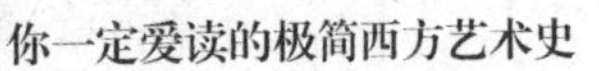

舞蹈课

油画 埃德加·德加 约1873—1875年

85cm × 75cm

宽敞的舞蹈室中，年轻的姑娘们在舞蹈老师、芭蕾舞演员朱里斯·佩洛特的指导下或演示、或倾听、或思考、或交流、或溜号、或置若罔闻，艺术家以敏锐的观察力和精准的构图逼真地呈现出芭蕾舞蹈课上人们各异的神情和肢体语言，营造出简洁、逼真的空间感，从而使讲究精确和平衡之美的芭蕾舞在艺术家的笔下焕发出蓬勃的生命力，轻盈的色彩让整幅作品充满着跃动之感。

坐在钢琴上的小女孩抬着头，用左手轻轻地挠着背部。艺术家对人物细节动作的观察与把握让人惊叹，平凡的动作在精准的人物线条下逼真得令人叹为观止。

背对着画面的小女孩红色的头花、黑色的丝带、绿色的腰带巧妙地突显出画作充满着青春活力的主题，并使整幅画作呈现出良好的视觉平衡效果。

小女孩脚边可爱的小狗似乎对钢琴下面的水壶十分感兴趣，小狗的出现并未对画作造成极大的影响，但是很显然这种构图使右下侧相对空旷的地面有了不错的过渡与平衡。

房间中大理石立柱笔直的线条呈现出清晰的空间纵深感，将观赏者的视线不由自主地拉向房间最靠近内侧的尽头，一个微昂着头用双手整理颈部丝带的女孩站在那里。

房间远处掐腰站立的芭蕾女孩认真地望着画面中心的情况，这与画作近端驻足观察的女孩形成鲜明的对角线，两个人视线之间准确地交代了房间中所有人的位置和动态，从而描绘出一堂生动的舞蹈课。

位于舞蹈室中间的舞蹈老师拄着拐杖，对左侧芭蕾女孩的动作做出指点，人们只能看见舞蹈老师的侧脸，但从其他人与老人对视的目光中，人们可以推断出老人的和善与认真。

简洁而平直的地板线条清晰地延展向房间的尽头，艺术家运用这种斜线的构图和墙壁的大理石立柱达成了良好的呼应，在呈现出真切的空间感同时，使人们的视线获得更具指向性的延伸。

随风拂动的遮阳棚与矮树丛间，两片白帆轻盈地划过平静的塞纳河，耀眼的白帆突显出阳光的温暖和炽烈，将明媚的阳光收进难以望见天空的阁楼上。

划船者的午餐聚会

油画 皮埃尔·奥古斯托·雷诺阿

1881年 129.5cm×173cm 现存于美国华盛顿飞利浦私人美术馆

位于法国塞纳河畔的酒吧中，年轻人聚集在一起轻松、愉悦地交谈着，艺术家以优雅的笔触和明快的色调描绘出青春的自然与活跃，这与严谨沉闷的学院派风格大相径庭。午餐聚会中的人物多数都是艺术家现实生活中的朋友，明朗惬意的光线和缤纷绚丽的色彩交织成如梦如幻的视觉感受，艺术家正是以一种近似实时快照的方式记录下记忆中的瞬间。

头戴着黄色草帽的富尔内斯先生是这家酒吧的老板，他得体地陪伴在艺术家和其妻子的旁边，在徐徐的轻风中眯着眼睛惬意地观察着人们的举动。

餐桌的一角，雷诺阿的女友阿林·夏里戈特自娱自乐地逗着小狗，深色的长裙和艳丽的头饰让这个年轻的女子周围洋溢着春天般温暖、绚烂的美。艺术家以印象派的风格着意雕琢了她头上绽放的鲜花，缤纷的色彩和断断续续的笔触让娇艳的花瓣充满质感。

楼台的角落里，酒吧老板的儿子和女儿正扶着围栏分别与银行家夏尔·埃弗拉西、军官纳伦·拉乌尔轻松地聊着天。画家将年轻人在社交中所呈现出的外向与善谈表现得淋漓尽致。

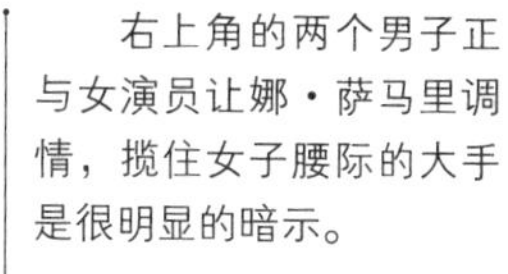

右上角的两个男子正与女演员让娜·萨马里调情，揽住女子腰际的大手是很明显的暗示。

坐在远景人群中间的昂热尔是雷诺阿最喜欢的女模特，她举着酒杯仔细地品尝着葡萄酒的美味，在众人中显得孤单而又与众不同，她高贵的气质正吸引着右侧男子的注意。

记者马奇奥洛俯身看着女演员埃伦·安德烈，而后者正兴致勃勃地对着凯博特说着什么，艺术家以细致的笔触生动地重现了人物交流时的情态细节，而衣服、帽子处自然的褶皱看起来是如此的逼真。

画作右下角坐着艺术家兼保护人居斯塔夫·凯博特，他黄色的草帽、白色的背心与左侧酒吧老板形成巧妙的对角呼应，将观赏者的视线从雷诺阿的女友处沿着围栏缓缓延伸至远处的景物。

带石膏像的静物

油画 保罗·塞尚 1894年 70cm×57cm

现存于英国伦敦考陶尔德画廊

纷乱的画室角落里，平素里常见的画作、水果、布巾和一尊丘比特石膏像放置在一起，这幅静物画作是艺术家在临终前夕完成的杰出作品，它清晰地向人们传达了艺术家所秉持的艺术理念，精密地观察和如实地记录物体在不同时间、不同环境、不同角度的变化，艺术永远没有止境，艺术家以缔造视觉的美感和错觉影响着他人，唯有真诚与热情永恒不变，拨动着人们的心弦。

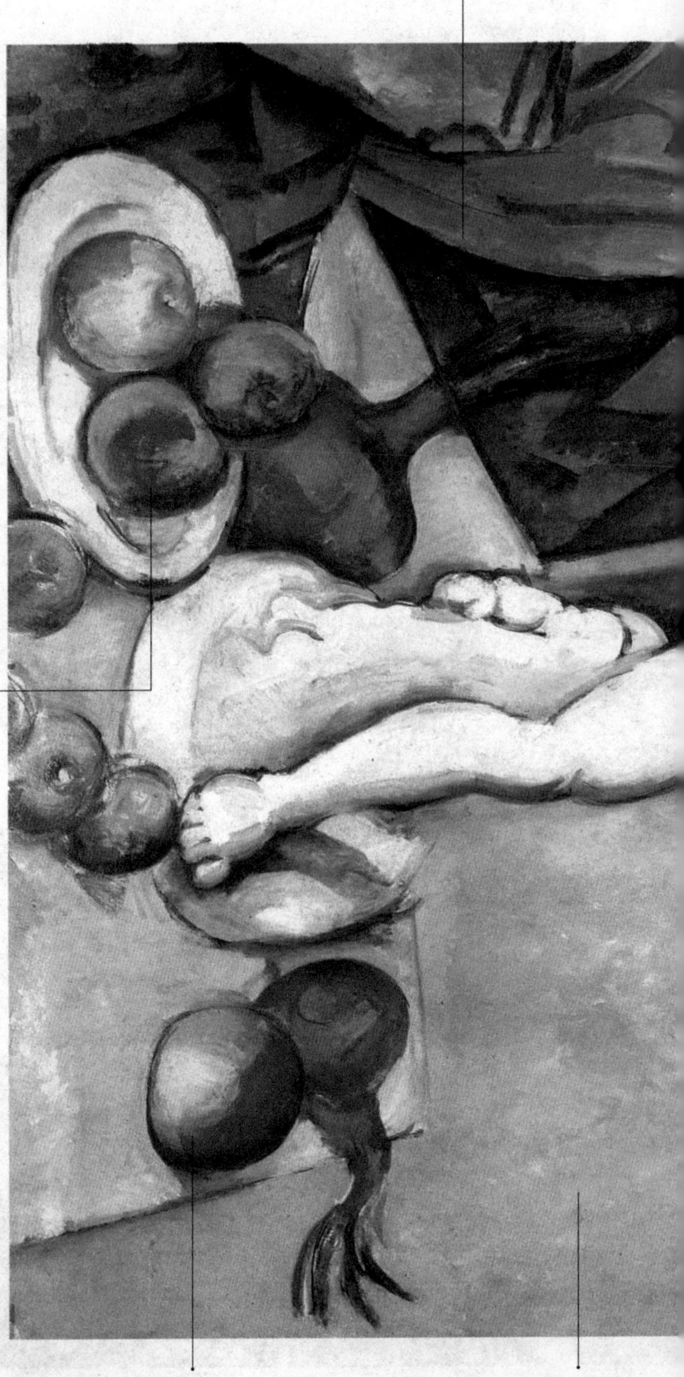

盘子中的苹果无论是色彩还是形体皆呈现出与既定传统规范相脱离的独特美感，位置的不同决定了颜色的变化，艺术家擅长用苹果来展现完全不同的艺术效果，并以此来引发人们的思考，证明除了传统之外依然有着其他崭新、独特感受或记录世界的方式。

静物的轮廓之间看似毫无关联，实际上静物的轮廓也是在时刻变化着的，艺术家以精益求精的观察，运用色彩和明暗深度的变化来寻求事物之间的关联与变化。

深沉的色彩和右侧空旷的位置形成强烈的反差，艺术家刻意将各种物体随意地放置于不同地方，从而突显出一种不平衡的和谐状态。

画作背景处靠着墙壁的位置放置着塞尚的另一幅作品《带薄荷油瓶子的静物》，蓝色的布巾、两个苹果与一个瓶子悄悄进入人们的视线，巨大的画框暴露出它的本质。艺术家以这种抽象的方式营造出一种视觉的错觉，画中有画的手法暗示艺术营造的仅仅是一种错觉。

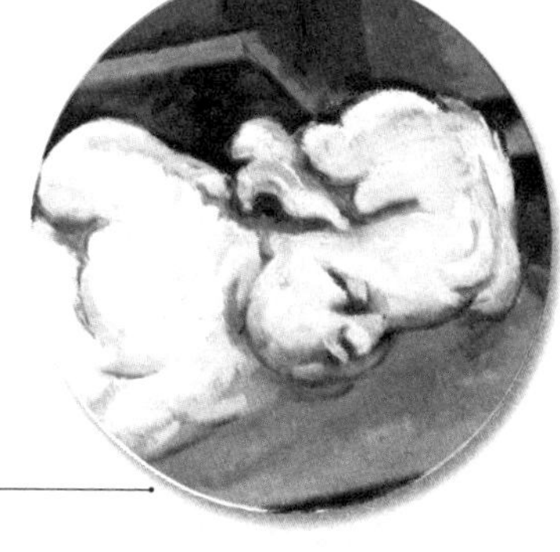

形态扭曲的小爱神丘比特象征青春、健康和生命，艺术家不断地改变着观察的角度和观察时间，从而更真实地记录石膏像的完整形象，造就了视觉上石膏像形体的些许扭曲。

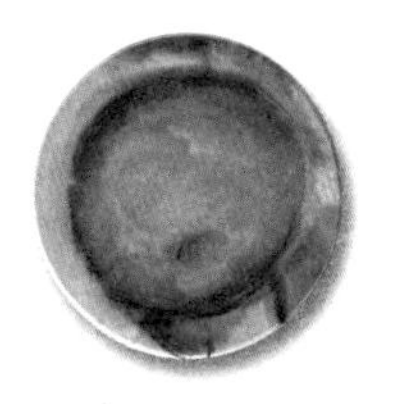

独立于远景处的青苹果由于位置的远近关系应该比前景处的苹果略小一些，但是艺术家并没有应用常用的透视系统，而是以简单的俯视角度清楚地勾勒出青苹果的轮廓，它如此真实，似乎在告诉人们每一个事物都有着它的生命，将它真实、诱人的一面呈现出来，任何的技术手段都仅仅是陪衬。

画作中的光影效果让观赏者对光线的源头恍惚而无法捕捉，这种情况是由艺术家创作过程中处于变化中的环境造成的，它如实地向人们展示了静物变化中的美。

附录 绘画工具介绍

单色绘画介质

画素描、打底稿，突出色调对比和线条时，要用到各种不同的单色绘画介质，每种介质都能产生不同的艺术效果。购买画具时，精挑细选很有必要。应该尝试各种品牌，通过对比，从中选出自己最喜欢的那种。

铅笔

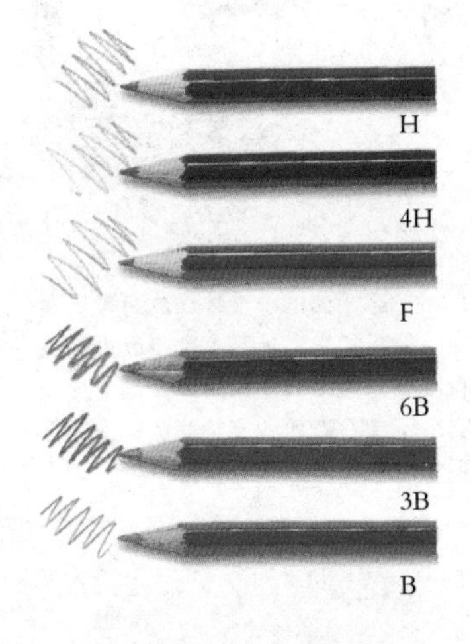

铅笔笔身上的字母和数字，表示的是笔芯的硬度级别。最硬的是9H，数字越小硬度也越小，HB为中等硬度，F为介于HB和H之间的硬度，9B为最软级别，数字越小软度也越小。石墨中所含的黏土比例越高，笔芯的硬度也就越高。通常准备5种硬度的铅笔，比如2H、HB、2B、4B和6B，差不多就可以满足各种绘画要求了。

较软的笔芯绘出的线条颜色浓黑，而较硬的笔芯绘出线条颜色相对浅淡。区别如左上图所示，图中的印记是用不同硬度的铅笔以同样的力道画出来的。你可以看出，并不是力道越大，颜色就越深。如果你希望线条浓黑，不需要使蛮力，可以选择硬度稍低的铅笔。

水溶性炭笔

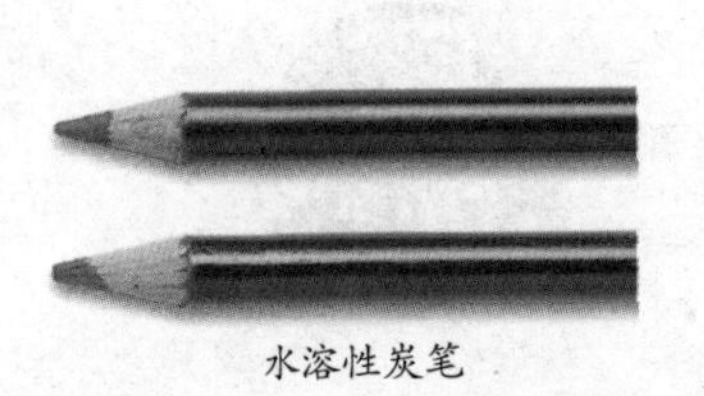
水溶性炭笔

水溶性炭笔的笔芯由水溶性混合物组成，因此具有水溶性的特征。市面上的水溶性炭笔种类繁多，使用方法也多种多样：可以直接使用；也可以蘸水后使用；还可以将笔芯溶于水中，调成颜料，用画笔蘸着用，这样可以营造出类似水墨画的效果。实地写生时，水溶性炭笔是比较理想的选择。因为它既能画出轮廓分明的线条，也能画出氤氲晕染的水墨效果。细节之处，用笔尖做精细勾画；大面积的色块，则可用斜笔完成。

石墨棒

石墨棒

石墨棒具有多种规格，形状也各不相同。有些和普通的铅笔类似，呈细长杆状；有些则较为短粗。市面上还可以买到形状不规则的石墨块、质地细腻的石墨粉和软硬不同的石墨条。这些不同形态的石墨画具可以装在特制的器械中，拿

取和使用都比较方便。

跟普通的铅笔相比，石墨棒画出的线条粗细范围更大。石墨棒的尖端或侧边可以勾勒出很细的细条，将石墨棒整个儿侧过来又可以描绘出粗线条，甚至是大面积的色块。

炭条

还有一种单色绘画工具也非常受欢迎，那就是炭条。炭条有长有短，粗细也各不相同，有特细、细、粗和特粗几种基本规格。当然，你也可以买到炭块，印象派画作用炭块表现效果最好。炭条质脆易碎，易擦出细粉，适合大面积涂抹着色。

粗炭条和细炭条

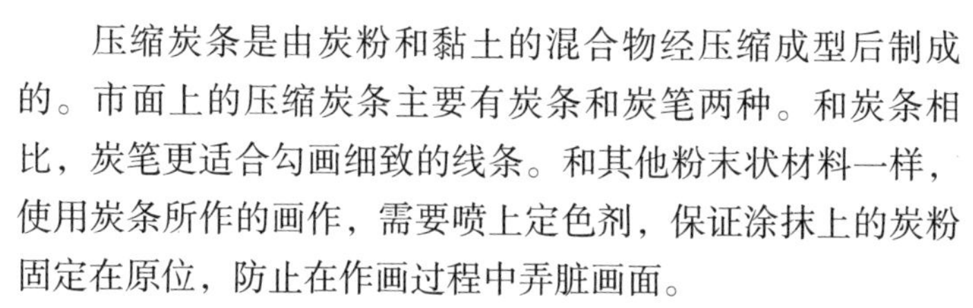

压缩炭条是由炭粉和黏土的混合物经压缩成型后制成的。市面上的压缩炭条主要有炭条和炭笔两种。和炭条相比，炭笔更适合勾画细致的线条。和其他粉末状材料一样，使用炭条所作的画作，需要喷上定色剂，保证涂抹上的炭粉固定在原位，防止在作画过程中弄脏画面。

钢笔和墨水

钢笔的种类和型号很多，墨水的颜色和质地也千差万别，结合两者所能产生的图画效果更是数不胜数。钢笔画的表现力非常强，用钢笔作画，灵活性和可塑性较高，非常值得作画者练习和掌握。刚开始的时候，可先用铅笔画个淡淡的草图，再用钢笔描绘，要注意，我们不能停留在简单地用钢笔把草图上的铅笔线条描一遍，那会使整个画面呆板单调。一旦我们掌握了钢笔画的画法之后，就应该尽量少使用铅笔，只用铅笔作最简单的构图，确保画面的比例和角度，其他部分都直接用钢笔完成。

蘸水笔

蘸水笔，顾名思义，它没有储存墨水的功能，使用时需要不时地蘸取墨水。通过改变使用力度的大小，蘸水笔能画出粗细多变的线条，因此，用蘸水笔绘制的画作有一种特别的情致。蘸水笔的笔尖还可以反过来使用，这样可以画出比较粗的线条。因为蘸水笔需要频繁地蘸取墨水，因此很难画出连续的长线条，但是在绘制某些景物时，这种凌乱的、断断续续的线条反而更富有表现力。

蘸水笔和笔尖

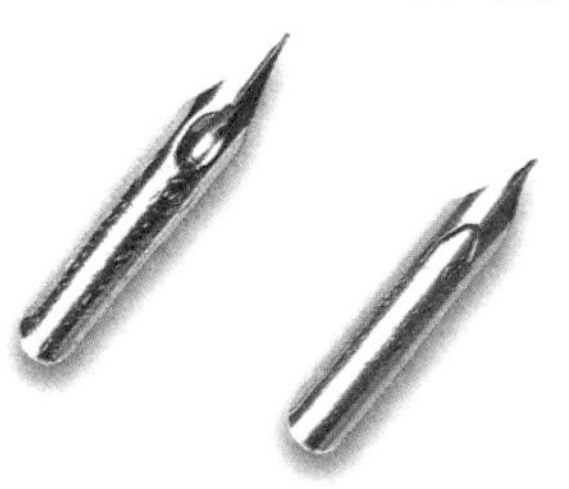

新换的笔尖可能不容易蘸上墨水，可以用口水润一下，这样就能解决这个问题。

中性笔、纤维笔和素写笔

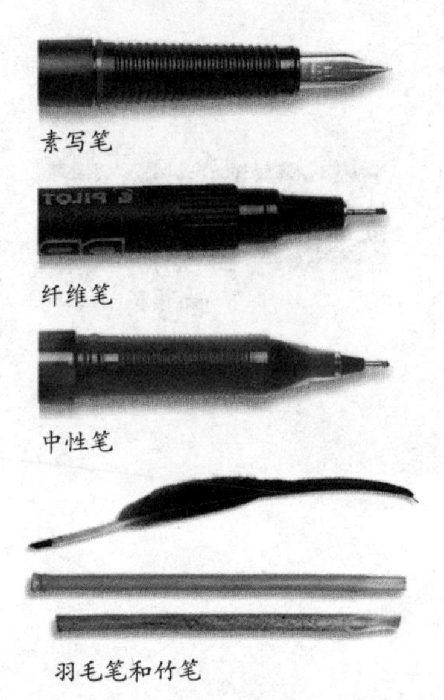

素写笔

纤维笔

中性笔

羽毛笔和竹笔

中性笔和纤维笔非常适合外出写生时使用，但因为画出的线条没有粗细变化，所绘制的画面看起来相当机械。不过有时候，这种机械感反而能形成一种独特的美感。由于中性笔的滚珠笔尖非常灵活，你可以用极少的墨量，画出极其纤细的线条。纤维笔的笔尖规格多样，从细到粗应有尽有，颜色也很丰富，可根据需要进行选择。素写笔和自来水笔一样自带储墨囊，无须像蘸水笔一样随身携带墨水瓶，尤其适合户外写生使用。

竹笔、芦苇笔和羽毛笔

竹笔的笔尖非常坚硬，画出的线条显得强硬滞涩；芦苇笔和羽毛笔的笔尖相对有弹性，可以画出各种不同的线条。这三种笔的笔尖都极易磨损，不过可通过刀削循环使用。

墨水

画家常用的墨水主要有两种，即防水墨水和水溶性墨水。防水墨水可以用水稀释，一旦变干就不能溶于水了。因此，防水墨水画出的笔迹，未干时可以修改，一旦干在纸张或画布上，就无论如何也洗不掉了。另外，防水墨水中通常含有虫胶和成膜剂，笔迹干燥后会散发自然的光泽。人们都说印度墨水比较有名，其实它起源于中国，非常适合勾画线条。防水墨水颜色非常黑，可根据需要加水稀释。根据加水量的不同，可呈现为不同色调的灰色。

水溶性墨水画出的笔迹，就算是干了也可以通过湿润使之淡化，进而加以修改。不要小瞧水彩颜料和水溶性液态丙烯颜料，这两种颜料的用法和墨水差不多，却比墨水的颜色更丰富。

防水墨水　水溶性墨水　液态丙烯颜料

彩色铅笔和蜡笔

彩色铅笔的笔芯是由颜料和黏土的混合物制成的，另外笔芯里掺了蜡，因此使用时无须定色剂，色彩就能牢固地附

着在纸张或画布上。户外写生时，彩色铅笔非常有用，因为其他颜料在作画过程中容易造成涂抹、拖色，弄脏画面，而彩色铅笔画出的线条比较稳定，即使被手掌、手指擦到也没有大碍。另外，用彩色铅笔绘制的画作，通常是通过不同色彩间的对比与映衬营造应有的视觉效果，因为它无法通过反复叠加得到复合色。一般来说，各种牌子的彩色铅笔区别不大，可以混着用。不过要注意的是，有些牌子的彩色铅笔画出的笔迹比较容易擦除。因此，在成套购买之前，最好先买一两支试用一下，如果效果满意，再成套购买。另外，使用彩色铅笔作画时，有个小窍门，那就是：画线条时，选择笔芯较硬的彩色铅笔；画大面积色块时，选择笔芯较软的彩色铅笔。

水溶性彩色铅笔

商家每年都要生产大量的水溶性彩色铅笔，这种铅笔在没有蘸水前，绘图效果和普通的彩色铅笔是一样的。蘸水后，就能营造出水彩画的效果。近年来，市面上出现了一种类似于粉彩棒的水溶性固体颜料棒，既可以单独使用，也可以和普通的彩色铅笔一起使用。

孔特粉蜡笔和彩色铅笔

使用孔特粉蜡笔的最好方法是折下一小节，然后侧过来用笔身大面积涂抹，或者用断裂形成的尖端或侧边画较细的线条。

孔特粉蜡笔中所含颜料为粉末状，因此，跟软粉彩和炭条一样，可以用手指、布或粗纸轻擦得到深浅不同的颜色。为了防止弄脏画面，用孔特粉蜡笔绘制的画作表面都要喷一层定色剂。孔特粉蜡笔的质地比软粉彩硬，所含油脂也更多一些，因此，可以通过不同颜色的层层叠加，营造完全不同的视觉效果。

孔特厂家除了生产粉蜡笔，也生产彩色铅笔。这种铅笔的笔芯含有蜡质，使用起来无须定色剂，更加方便，而且通过刀削，可以画出粗细不同的线条。

孔特彩色铅笔

孔特铅笔可以削出尖端，所以非常适合对物体作细节刻画。

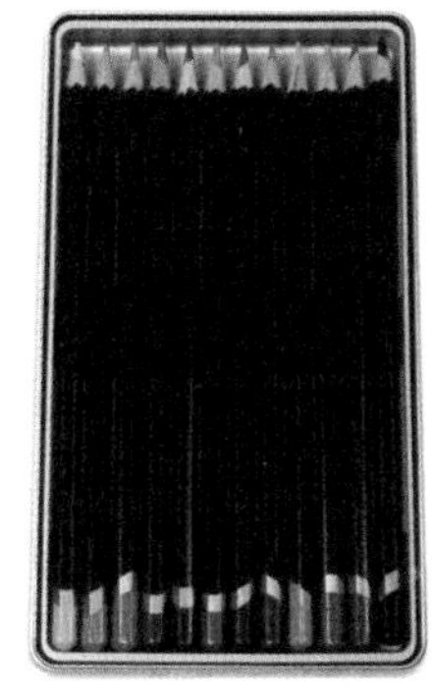

一盒彩色铅笔

经常使用彩色铅笔作画的画家，各个色系的铅笔都有无数支，有些颜色属于同一色系，但在色调上却有着细微差别。要准备这么多铅笔是因为彩色铅笔无法通过色彩的反复叠加得到复合色（这一点和水彩、丙烯颜料不同），而在作画时，你对同一种颜色却会有深浅、明暗等不同的要求。比如，在一幅风景画中，可能有各种各样的绿色，那肯定需要多根不同的绿色铅笔来完成。

湿用和干用

水溶性铅笔既可湿用也可干用，干用时使用方法和普通铅笔一样。

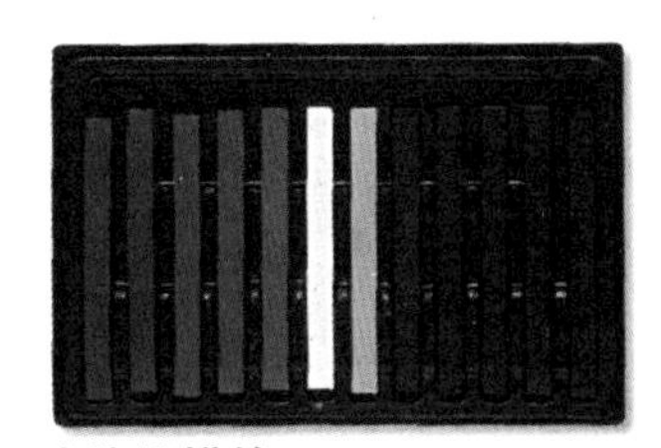

孔特粉蜡笔

图中这种小盒装的方形孔特粉蜡笔，可以成盒购买，通常有十几种经典色。运用这些颜色的粉蜡笔画出的画，具有怀旧之美，会令人联想起早期绘画大师，如米开朗琪罗和达·芬奇的经典粉笔画。

粉彩和粉彩笔

粉彩是由色素和少量黏合物混合而成的，黏合物含量越高，粉彩的质地就越硬。人们通常认为使用粉彩作画不能称为绘画，只能叫作涂抹或着色。粉彩在绘制大面积色块时非常好用，用它绘制的画作往往透着生动活泼的气息。

软粉彩

软粉彩也叫软彩，其中的黏合物含量极少，容易碎裂，因此，软粉彩外面通常要裹一层包装纸，起到定型作用。即便如此，还是会有少量的粉彩末脱落，污染临近的其他颜色的粉彩。最好的解决方法就是，将不同颜色的软粉彩分别放在相互隔离的小盒中储存。

一盒软粉彩

新购得的粉彩打开后，根据不同颜色分别装在不同的小格中。这样放置能保证粉彩间不会接触，避免颜色受到污染。

软粉彩在使用时，可以通过层层叠加得到复合色，也可以调和出混合色再进行上色。使用的混合色越少，画面就越清新淡雅。因此，软粉彩生产厂家竭尽所能地生产出各种颜色的粉彩，许多颜色之间只有极其细微的差别，目的就是希望达到专色专用，而不必进行混合配色。

粉彩呈粉状，比较容易附着在质地粗糙的载体上，在选择纸张或画布时应稍加留意。另外，粉彩画完成后，要马上在表面喷上一层定色剂，防止画面受到污染。虽然被污染的画面可以修复，但颜色可能会变得暗淡，因此还是及时喷上定色剂保险为好。

硬粉彩

硬粉彩也叫硬彩，是相对软粉彩而言的。和软粉彩相比，它的优点之一就是在使用中不会掉落很多粉末，不会粘得纸张或画布上到处都是。因此，软粉彩画作创作前期，通常会先使用硬粉彩。硬粉彩也可用手涂抹混合得到复合色，但颜色不如软粉彩混合得到的颜色那么细腻。

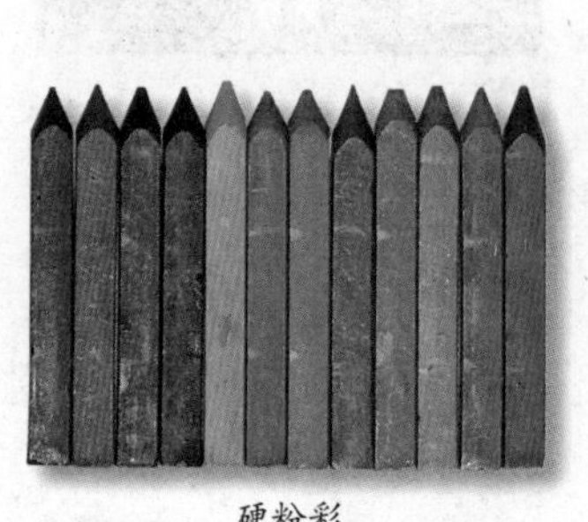

硬粉彩

油粉彩

油粉彩是由颜料、油脂和蜡的混合物制成的，其性质和硬粉彩及软粉彩截然不同，不能通过混合进行配色。油粉彩可用于粗糙的纸张，颜色永远都不会完全干燥，看起来十分滋润。

油粉彩

油粉彩棒非常油，因此不适合刻画微妙的细节。不过，要进行大面积的涂抹，它们却是上上之选。

油粉彩的笔触厚重，能营造油画的感觉。油粉彩所含颜料较多，可供选择的颜色也很多。如果在油画纸上使用，可以用石油溶剂油或颜料稀释剂稍做稀释，然后用刷子和布蘸取，在油画纸上涂抹作画。还可以用湿手指抹平色块的边缘，因为油和水互不相溶，所以手上不会沾上颜料。

如果把油粉彩一层层地涂抹在纸张或画布上，可以营造出一种混合的视觉效果，也可以用尖锐的硬物在涂好的一片油粉彩上刮擦，这样可以使画面呈现出不一样的质感，这即是所谓的刮花技法。

另外，油粉彩质地坚硬，不像软粉彩那样易碎，通常制作成各种大小的圆条。

粉彩笔

粉彩笔使用起来非常方便，色彩也很丰富，最重要的一点是，设计成铅笔状非常适合画线条。虽然它比炭笔和彩色铅笔都要脆弱，但如果你使用时多加小心的话，它并不会折断。粉彩笔可以削尖，因此更适合绘制精妙的细节，而通常这些地方都是用硬粉彩或软粉彩绘制的。

粉彩笔

粉彩笔颜色丰富，用起来不会掉渣，还适于勾画各种线条，实在是作画者的理想之选。不用的时候，最好将它们笔尖朝上放在笔筒中，防止笔尖折断。

水彩颜料

水彩颜料应用广泛，主要分为两大类：一种是块状压缩颜料，另一种是管装膏体颜料。两种颜料均由阿拉伯树胶液混合极细的颜料粉末制作而成。因为使用了阿拉伯树胶，水彩颜料的附着性非常好，即使被稀释，也能紧紧附着在纸张上。

压缩颜料块和管装颜料的质量并没有太大区别，可以根据自己的偏好选择。块状颜料的优点是可以装进颜料盒里，便于随身携带，户外写生时，可考虑选择这种颜料。如

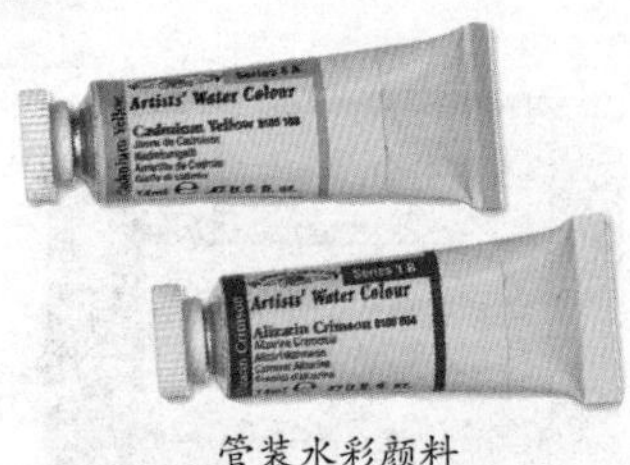

管装水彩颜料

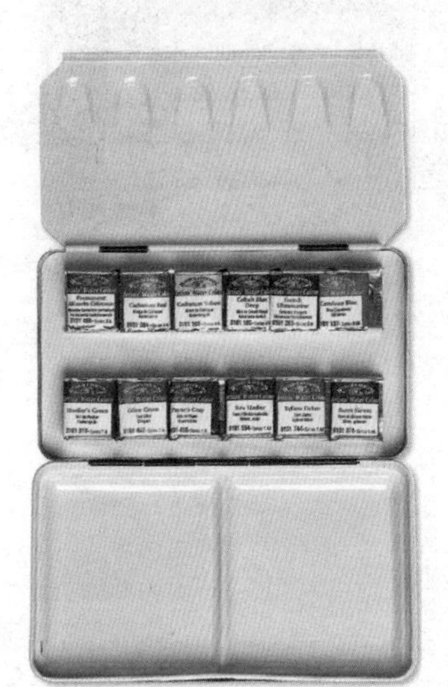
块状水彩颜料

果是进行室内创作，颜料的需求量又比较大，管装颜料便于调色，显然更占上风。使用管状颜料时，要记得及时拧好盖子，否则颜料就会在管中结成硬块而无法使用。而块状颜料变硬，加点水就可以继续使用了。

水彩颜料的等级

水彩颜料一般分为两个等级：专家级和学徒级。专家级的水彩比较贵，因为其中含有大量的优质颜料；学徒级的水彩中所含的纯正颜料较少，添加剂相对较多。

如果颜料名称中含有"hue"（色）字样，那么这种颜料所含的纯粹颜料就比较少，而廉价的添加剂则较多。总的来说，一分价钱一分货，专家级的颜料绝对物有所值，用它可以调配出色调差别极小的颜色。购买颜料时还要考虑颜料的耐久性。记住一定要查看产品的商标和成分列表，上面一般会标注颜料的耐久度。在英国，颜料的耐久性分为4个等级：AA（超耐久）、A（耐久）、B（中等耐久）和C（不耐久）。美国材料与试验学会（ASTM）还有3个耐光性指标：ASTM Ⅰ（优）、ASTM Ⅱ（良）和ASTM Ⅲ（差）。有些色料，像深红和铬绿，附着性比其他颜料都要好，能迅速渗入纸张或画布的纹理中，很难去除。

水彩颜料的使用

不同的颜料，性质是不同的。通常我们认为水彩颜料透明度比较高，但也要注意，某些颜色的水彩透明度并没有那么好，在和其他颜料混合配色时，会影响其他颜料的透明度。这种所谓的"浑浊颜料"包括所有添加镉的颜料以及天蓝色。掌握颜料特性的唯一方法就是在使用中学习，看看单独使用的效果，再看看多种色彩混合后的效果。

辨色

仅凭肉眼观察颜料盒中的颜料块，是不可能准确判断

视觉欺骗

上图中这两块颜料，看起来颜色非常深，几乎是黑色。实际上，一种是培恩灰，一种则是非常亮的群青蓝。

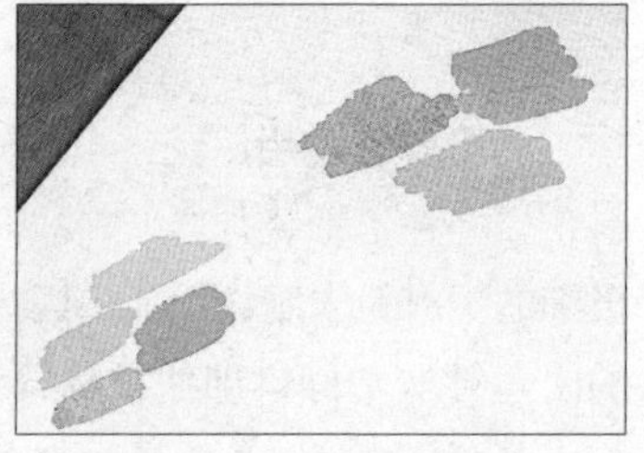

色彩测试

作画时，在触手可及的地方放一张废纸，使用颜料前，可先在废纸上测试一下，颜色满意再使用。

颜料的色彩的，因为未调和的干颜料块颜色看上去总是比较深。如果判断不准，创作过程中很有可能会用错颜色，所以在使用前一定要仔细确认。

即使事先已经在调色盘中调好了颜色，也不能完全相信当时所呈现出来的色彩，因为水彩颜料变干后，色彩会更加鲜亮。要辨识所调颜料的色彩和色度，唯一的方法就是将它涂抹在纸上，待其自然晾干。调色的时候，不要试图一步到位，最好分多次添加各种颜料，一边添加，一边调和，直到得到期望的色彩。熟能生巧，平时练习得越多，调出的色彩效果就越好。

水粉颜料

水粉颜料和水彩颜料中的色料及黏合物成分是一样的，不过水粉是一种水溶性颜料。此外，其中所添加的重晶石粉（一种沉淀碳酸钙）赋予颜料以不透明性，因此，水粉颜料的覆盖性比较强，使用时可以将浅色水粉涂在深色水粉之上。水彩不能这样用，因为它的透明度比较高，浅色水彩不可能覆盖住下层的深色水彩。

近年来，部分颜料制造商开始生产一种以丙烯酸乳液和淀粉为主要成分的水粉颜料。优质的水粉颜料，色料含量比较高。专家级的水粉颜料一般都采用强耐光、超耐久色料。而设计师等级的画作不必长久保存，因此设计师等级的水粉颜料中含有的永久性色料相对较少。

水粉颜料的使用

所有适用于水彩颜料的工具和技法都适用于水粉颜料。和水彩一样，水粉可以直接在白纸或白板上使用，而且由于其不透明性和较强的覆盖性，水粉还可以用在彩色背景，以及石膏底板或画布上。与传统的水彩颜料相比，水粉颜料对载体的要求不是很高，但更适合用在光滑的表面上。

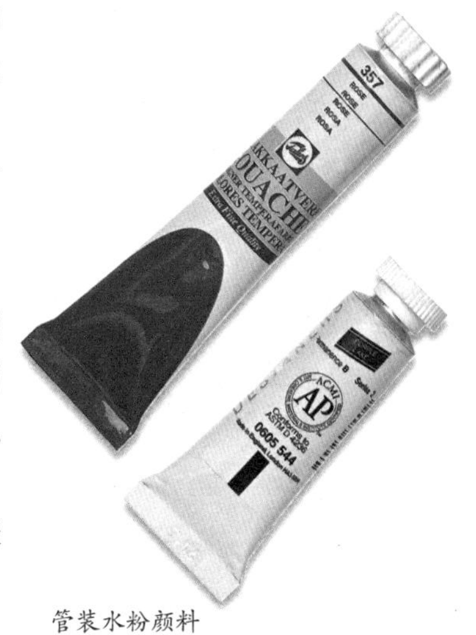

管装水粉颜料

水粉颜料在湿的时候，其颜色的饱和度和油画颜料一样很高。水粉颜料久置不用，比水彩颜料还容易干硬结块。但是水

干的水粉颜料　　湿的水粉颜料

干湿颜料色彩对比

水粉颜料变干后，颜色会比湿的时候暗淡一些。因此，使用前，最好先在废纸上测试。只要勤加练习，很快你就能掌握配色的诀窍。

用笔利落

水粉颜料即便干了，也有很强的水溶性，因此如果需要颜料层层叠加，用笔一定要非常利落，绝不能让下层颜料混入上层颜料中。

用笔拖沓

如果你用笔功夫不到家，动作拖沓，就可能将下层颜料混入上层颜料中，使颜色变得脏污。要避免出现这种情况，就要学习左图笔法。

湿上湿

和透明的水彩颜料一样，水粉颜料既可以涂在干颜料之上，也可以涂在湿颜料之上。

去除干颜料

干燥的颜料可以沾水润湿，然后用吸水纸巾吸走多余的颜料水。反复多次，就能去除颜料。

粉是一种水溶性颜料，即使变干，加点水调和后，仍然可以使用，只是干结在管中的水粉很难挤出来。我们可以利用这个特性，修复年久开裂的水粉画，用画笔蘸取少量水，轻刷开裂部位就可以使画完好如新。在运用水粉创作的过程中，需要有出色的用笔功夫。想用一种颜色覆盖另一种颜色时，画刷的起落要干脆利落，绝不能拖泥带水，否则两种颜色就会混合在一起。一些着色性强的颜料，颜色特别重，用作底色时不易被其他颜色覆盖。但如果多加练习，这些问题都能迎刃而解。

管装还是罐装？

油画颜料通常是管装的，容量为15~275毫升不等。如果对某种颜色用量较大，比如用作底色，可以选择购买罐装颜料，每罐容量大概为5升。

油画颜料

传统的油画颜料分为两类：一类为专家级，另一类为学徒级，后者价格相对便宜。两者的区别在于：专家级的颜料是用细磨的优质颜料和质量上乘的油调和在一起制成的，只含极少量的添加剂；学徒级的颜料所使用的色料价格便宜，质量一般，通常会加大量的添加剂。添加剂多为重晶石粉或者氢氧化铝，基本没有什么着色效果。

通常情况下，学徒级的颜料质量还过得去，在学生、业余画家甚至专业油画师中都得到了广泛的使用。

水溶性颜料

水溶性油画颜料中添加了亚麻籽油和红花油，从而变得具有“亲水性”。等颜料变干和油体氧化后，这种颜料就会和传统的油画颜料一样，色彩稳定而持久。有些水溶性颜料也可以和传统的油画颜料混合使用，只是调配出的混合色，其特性更偏向于传统油画颜料。

醇酸耐颜料

醇酸耐颜料中含有合成树脂，但其用法和传统的油画颜料是一样的，可以和常见的介质混合，也可以用稀释剂稀释。

醇酸耐颜料的干燥速度比油性颜料要快得多，因此用作底色或做上光以及层次效果时，要比传统的油画颜料强得多。不过，不能在传统油画颜料之上使用醇酸耐颜料，因为其速干特性可能会引发一些问题。

油画颜料的使用

无论如何使用油画颜料，最重要的是要选对载体，始终遵循“肥”盖“瘦”的原则。所谓“肥”即含油量多的颜料，质地较稀，干得比较慢；“瘦”指的是含油量极少或者不含油的颜料，质地非常稠，干得较快。如果用“瘦”盖“肥”，会导致色层不稳定，容易开裂。因此，打底和画草图时，应该选择用溶剂稀释过的颜料，这样就不用另外加油了。如果需要多层颜色叠加，在后来的颜色中可以适当添加些油。另外，每个色层都要留够晾干的时间，不要心急，下层没干就涂上层。

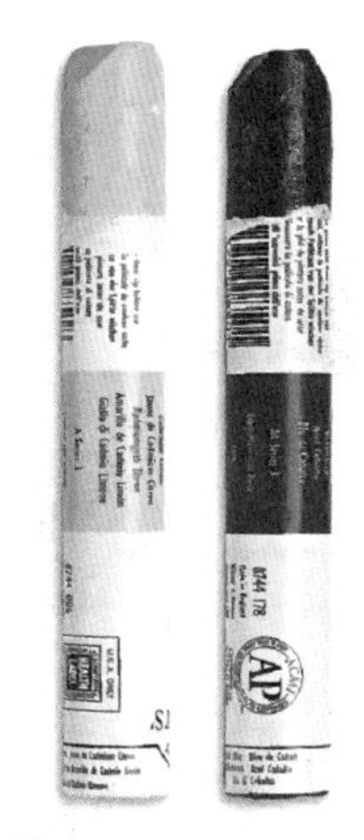

油画棒

油画棒是由颜料、油、蜡的混合物制作而成的。其中所含的蜡使混合物变硬，具有可塑性，从而做成类似于大蜡笔的形状。

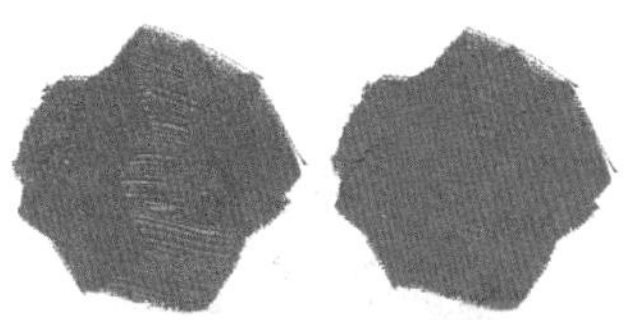

湿的油画颜料　干的油画原料

辨色

油画颜料的辨色相对比较简单，湿颜料涂抹在画布上什么样，干了之后还是什么样，不会变色，这一点跟丙烯颜料、水粉颜料以及水彩颜料不同，因此作画时不需要考虑前后色差。但是，湿颜料在变干的过程中可能会变得暗淡无光，所以可对颜色暗淡的部位进行“补油”，即刷上一点油和酒精的混合物或润色上光剂，使色彩重新鲜活起来。

上光油

所谓“上光”，是将一种透明度较高的颜料涂在其他颜料上面的工艺。上光油能为作品增加光泽，是不错的选择。上光的过程比较长，可以使用速干上光剂缩短上光时间。

“肥”盖“瘦”

使用油画颜料的黄金法则，就是始终坚持以“肥”（即稀薄的油性颜料）盖“瘦”（浓稠的含油少的颜料）。

丙烯颜料

丙烯颜料和油画颜料不同，它干得非常快，而且颜料层比较有弹性，不易出现裂纹。丙烯颜料可以和各种含丙烯成分的介质或添加剂混合使用，还可以用水稀释。丙烯颜料的使用方式比较多样，既可像油画颜料那样厚涂，也可以加以

液态丙烯颜料

液态丙烯颜料的质地就像普通的墨水。

罐装丙烯颜料

灌装丙烯颜料便于储存。

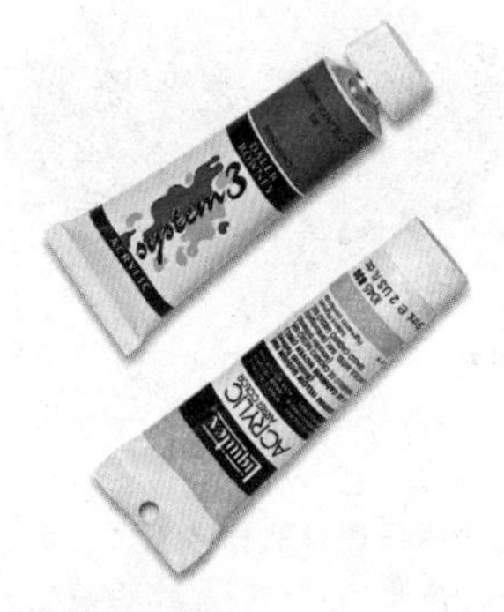

管装丙烯颜料

管装丙烯颜料携带方便，使用时需要借助调色盘。

稀释，像水彩颜料那样营造半透明效果。事实上，用于油画和水彩画中的技巧同样适用于丙烯颜料绘画。丙烯颜料根据黏稠度可分为三种：管装的比较稠，呈膏状，挤出来后也保持膏体形状，不离散；罐装的质地较稀，像鲜奶油，很容易涂开，适合大面积上色；另外还有一种液态丙烯颜料，像墨水一样，常以“丙烯墨水”之名出售。

丙烯颜料的使用

丙烯颜料具有水溶性，使用方法非常简单，只要加一点清水调和一下就可以了。如果对作品某处不满意，还可以趁颜料未干之时，用水擦除，重新绘制。但是，颜料一旦变干，就会变成一层硬而柔韧的膜，既不会褪色，也不会出现裂纹，而且不受丙烯溶剂、油画颜料以及其他各种介质和溶剂的影响。

丙烯颜料具有速干性，较薄的颜料层几乎落笔即干，即使较厚的颜料层也可在一小时内干透。厚度相同的丙烯颜料层变干的速度是一样的，并且颜料干后颜色会稍微变暗，这一点和油画颜料有所不同。丙烯颜料可以和多种介质和添加剂混合，这样可能会改变颜料的特性，强化其实用性。

延缓干燥

可用延缓剂使颜料延缓干燥，为画家留出更长时间，用于作画和调色。

纹理凝胶

各种各样的凝胶都可以混入丙烯颜料，调和均匀后，就可以画出图中所示的纹理效果了。可在颜料尚未变干时，加入凝胶。

定型性

和油画颜料一样，膏体丙烯颜料从管子挤出来就能使用，刷在画布上什么样，干了就是什么样，不会四处流淌，也不会变形，因此，你可以利用丙烯颜料的这个特性塑造某些独特的纹理。

覆盖性

丙烯颜料具有良好的覆盖性，即使在深色颜料上使用浅色颜料，底层的颜色也能被完全覆盖。所以，用浅色提亮深色区域非常方便。

丙烯上光剂

用清水稀释过的丙烯颜料，很有光泽，不过更好的方法是直接在颜料中添加丙烯上光剂。

丙烯颜料的另一个优点就是具有良好的附着性，适用于创作拼贴画，能将纸或其他材料紧紧粘在颜料之上。

提亮

丙烯颜料中添加白色颜料（上图第一行所示），具有提亮作用，但混合后的颜料仍然是不透明的；用清水稀释（上图第二行），也具有提亮作用，但稀释后的颜料是透明的。

调色板

调色板，顾名思义，就是画家创作前盛放以及调和颜料的平板。选择哪种类型的调色板，取决于你选用的颜料：颜料多，调色板不妨大些；颜料少，小些也无妨。不过，在很多情况下，你都需要更多的空间来调色，调色板总是显得不够大。

如果调色板很小，调色区很快就被占满了，为了调配新的颜色，你不得不频繁清洗调色区。这种做法太浪费了，因为你会洗掉某些可能再次用到的颜料，而某些混合色可能是你费了不少心思才调出来的。因此，最好选购大调色板，既实用又实惠。

握用调色板

大拇指穿过调色板上的孔，然后将调色板放在手臂上稳住。在调色板边缘挤放纯色颜料，油槽夹在不碍事的位置，调色板的中心则作为调色区，用于混合颜料。

木质调色板

木质调色板常见的有肾形和长方形两种，带有一个拇指孔，多用于油画颜料。材质一般为硬木，也有些选用较便宜的胶合板。

新买的木质调色板在使用之前，最好将反正两面

木质调色板

油画画家一般会选用木质调色板，最好购买尺寸较大的，能够放下所有颜料，根据所需随时调和。

都涂上一层亚麻籽油。调色板被亚麻籽油浸透后，就不会再吸收油画颜料中的油料了，而且使用后也易于清理。选购优质的调色板，再用亚麻籽油定期擦拭，可大大延长其使用寿命。

不过，用丙烯颜料作画时，最好不要使用木质调色板，因为丙烯颜料一旦变干很难清除。

塑料调色板

塑料调色板一律都是白色的，通常做成传统的肾形或长方形。塑料的表面没有渗透性，所以既可用于油画颜料，也可用于丙烯颜料。塑料调色板易于清洗，但是如果经常调和色彩比较重的颜料，比如铬绿或酞菁蓝，调色板会受到一定程度的污染，很难洗干净。

有些塑料调色板带有凹槽，这是专门为水彩和水粉颜料设计的。选择哪种形状的调色板，完全取决于画家的个人喜好，不过调色板的尺寸一定要合理。

还有一种白瓷调色板，调色区设计得非常小，是专为水彩和水粉颜料设计的。这种调色板看上去好看，却并不实用，常常一不小心就打破了。

一次性调色板

最近，市面上出现了一种新型调色板——一次性调色板，油画颜料和丙烯颜料都能使用。这种调色板通常是由没有渗透性的羊皮纸制成的，然后一页页装订成册。一次性调色板也有一个拇指孔，使用方法和传统调色板一样。它还可以直接放在一个平面上使用，使用后可撕除，避免了清洗的麻烦。

保湿调色板

保湿调色板专为丙烯颜料设计，可以长久保持颜料湿润，但如果颜料长期暴露在空气中，保湿调色板也无法阻止颜料变干。这种调色板设计有一个内嵌式浅槽，槽中铺着一层储水膜，颜色的调配就在这层湿润的膜上进行。如果你愿意，在作画过程中，可直接将颜料和清水混合在一起，防止它变干；如果需要

保湿调色板

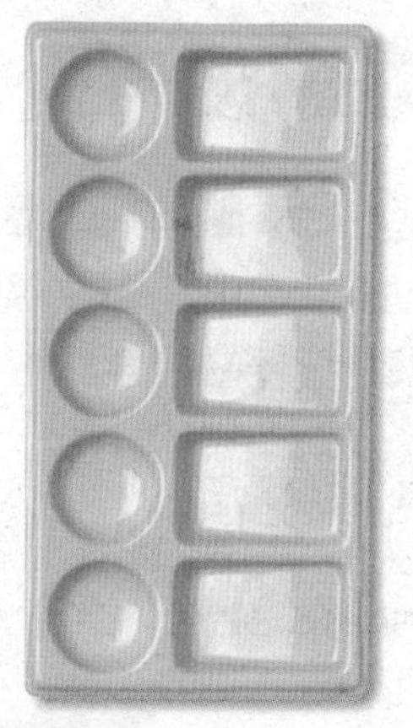

白瓷调色板

这种白瓷调色板专用于调和水彩和水粉颜料。纯色颜料放在小圆槽内，然后在长方形的斜槽内进行调色。

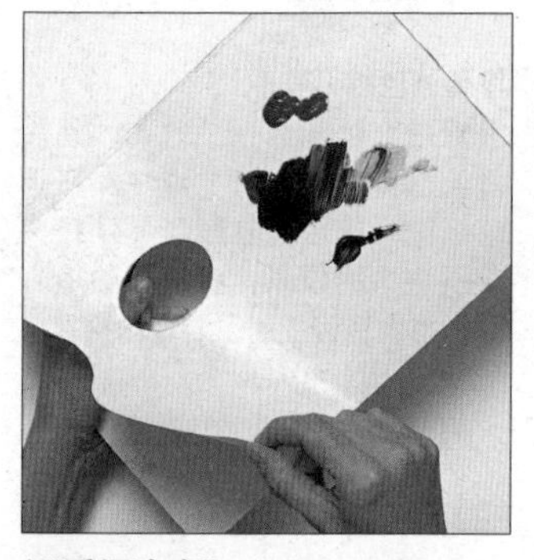

纸质调色板

一次性调色板使用起来非常方便，让使用者彻底摆脱了清洗调色板的工作。

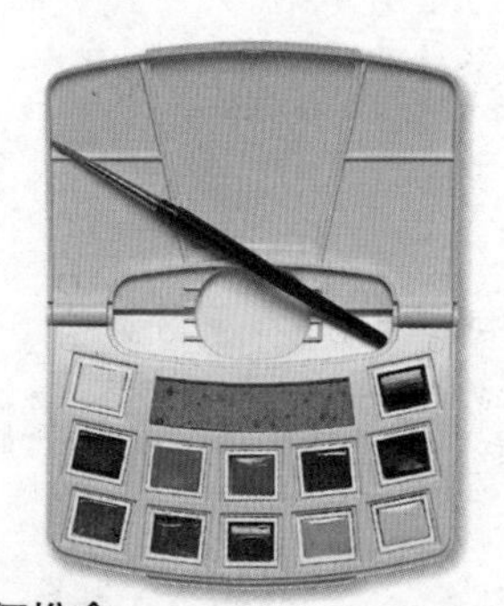

便携盒

很多大型画材生产商还为户外写生量身打造了一种特制的便携盒，里面包括一支小画笔、几种常用的水彩颜料和一块海绵。

中途离开一会儿，可以用塑料薄膜将调色板盖起来（一般这种调色板都自配有盖子），这样能保持调好的颜料湿润不干。如果将调色板放置在阴凉处或冰箱里，可连续三周保持颜料湿润。如果储水膜干了，直接喷水即可使其恢复湿润。

容器

常用的容器在各大美术用品店都能买到，但有时完全没有必要浪费钱，通过废物利用就能获得，如空的果酱瓶，用起来绝不比专门购买的容器差。当然，有些容器必须专门设计，这就要到美术用品商店购买了。

油槽

主要用于油画创作。油槽一般夹在调色板一侧，其中装有少量的油或稀释剂等溶剂。

各种容器中，用处最大的莫过于油槽。这种容器很小，是用来盛放油和溶剂的，可以夹在传统调色板的边缘。这种容器通常没有盖，但也有些带有旋盖或夹式盖，不用的时候，可以盖上盖子防止溶剂挥发。市面上常见的是单油槽和双油槽，左图所示即双油槽。户外写生时，这种小小的油槽非常有用。

丙烯颜料和油画颜料添加剂

无论使用哪种颜料、工具或是添加剂，都应该首先去了解它们的性质。只有熟悉了各种画材的特性之后，才能更好地发挥出它们的作用。丙烯酸和石油添加剂也不例外。使用丙烯颜料和油画颜料作画的画家们，经常要用到添加剂，改变颜料的质感和效果，因此有必要对它们进行深入的研究。油画颜料从管中挤出来就可以直接使用，不过通常情况下都要加油或稀释剂等溶剂进行不同程度的稀释。这个过程并不复杂：每次取少量添加剂到调色板上，和颜料混合均匀即可。丙烯颜料的制造商在生产主产品的同时，一般都会附带生产一些配套使用的介质和添加剂，从而发挥颜料的最大效用。油性添加剂用于改变颜料的浓度，使颜料更容易涂抹均匀，也可以加快颜料变干的速度。一旦暴露于空气中，油性添加剂会很快变干，表面形成一层柔韧的色膜。不同的油具有不同的性质，比如亚麻籽油，其变干速度相对较快，但是会随着时间的流逝变黄，所以亚麻籽油通常适用于深色颜料。

颜料介质是一种预先调和好的溶剂，内含各种油、蜡和干燥剂。油是一种自调和介质，根据需要自行添加。选择何种油或介质，取决于以下几点，即经济状况、成色类型、所使用颜料的浓度，以及所使用颜料的多少。

上光剂和亚光剂

上光剂（左图）和亚光剂（右图）都是白色液体。亚光剂可以增加颜料的透明度，营造无光釉效果；上光剂能提亮颜色，使颜色更加鲜艳。

市面上有一种醇酸基介质，可以加快颜料的干燥，缩短作画过程中等待颜料变干的时间。某些醇酸基介质具有触变性，使用前质地稠厚，呈凝胶状；使用后，就变得非常稀薄。也有些醇酸基介质含有惰性硅，能使颜料变稠，从而增加其厚重感，适用于厚涂画法。多和画材经销商沟通，有助于买到理想的添加剂。

成色类型

丙烯颜料干燥后，可能呈现两种不同的效果，一种是光亮效果，一种是亚光效果。我们可以添加亚光剂或上光剂，获取理想的成色效果。上光剂和亚光剂既可单独使用，也可混合使用。

延缓剂

延缓剂

"速干"是丙烯颜料的一大优点，但有时候这一优点却会为你增添烦恼。有时，画家需要放慢速度，使用特定的画法或精心修饰某一细节，比如调色、运用"湿上湿"画法等。这时，在颜料中添加延缓剂，可显著减慢颜料的干燥速度，延长其使用寿命。常见的延缓剂有凝胶和液态两种，可以分别试用，选择最适合自己的那种。

流动性改进剂

流动性改进剂可降低水张力，提高颜料的流动性，使颜料更好地渗透进纸张或画布等载体中。

未添加流动性改进剂

添加流动性改进剂

将流动性改进剂滴到非常稀薄的颜料中，会使颜料变得浓稠，涂抹在纸张或画布上，会留下高低不平的痕迹。在正式开始创作之前，可用添加了流动性改进剂的丙烯颜料薄薄地涂一层底色，效果非常不错。

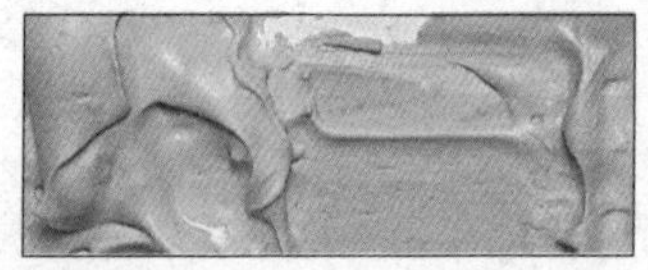

塑型剂

这种膏体干燥后，会变得非常硬，可以用砂纸打磨，或用锋利的刻刀雕刻。

将流动性改进剂加入质地浓稠的颜料中，效果恰恰相反，颜料会变得稀薄，使用时非常顺滑，几乎不会在纸张或画布上留下画笔的刷痕。

流动性改进剂还可以加进喷漆中，保持颜料呈液体状态，防止颜料在喷壶中凝固。

重凝胶剂

丙烯颜料加入重凝胶剂后，会变得非常稠，适用于厚涂画法。

凝胶剂

凝胶剂的浓度和管装颜料差不多，能帮助营造光亮或亚

光效果，使用方法和其他液态介质一样。如果使用时不加稀释，凝胶剂可以增强颜料的光泽度和透明度。凝胶剂是一种很好的黏合剂，还可延缓颜料干燥。它可和多种物质混合使用，比如沙子或木屑，这样能产生富有质感的效果。

油和稀释剂

只用油稀释油画颜料，颜料表面容易起皱，颜料的干燥速度也会变慢。使用稀释剂则可以避免这个问题，不但能使颜料很容易涂开，而且稀释剂挥发时，能加快颜料干燥。稀释剂的用量取决于具体需求，但需要注意的是，稀释剂使用过多，颜料干燥后会变得非常脆弱，容易开裂。你所选择的稀释剂应该是纯净的，易于挥发，使用后画面上不会留下任何残留。市面上的油和稀释剂种类繁多，下面列出常见的几种。

松节油

油画颜料的最佳搭档是松节油，其效果显著，不过气味也“非同凡响”。松节油长期暴露于空气中和强光下会变色，质地也会变得黏稠。为了防止这种情况出现，应该将松

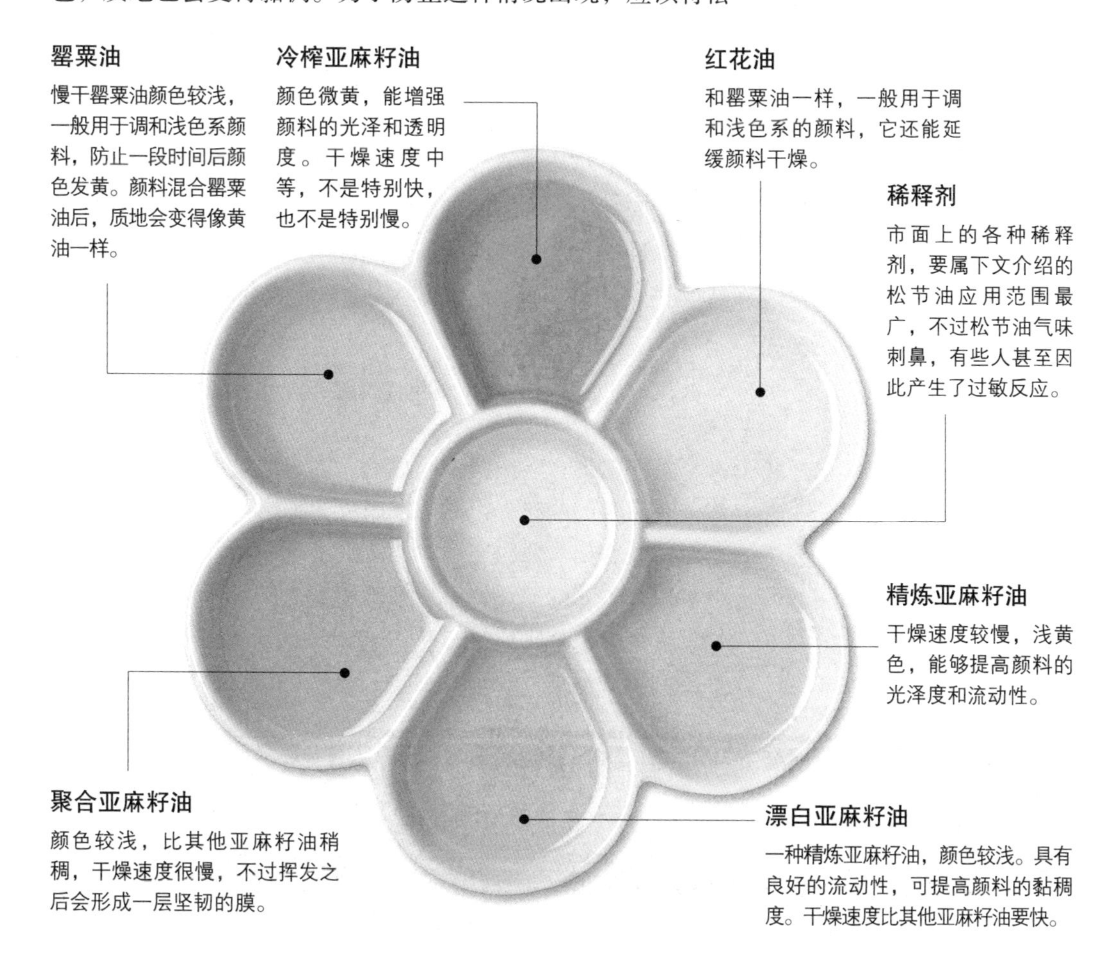

节油储存于密闭的铝罐或深色玻璃瓶中。

石油溶剂油

颜料稀释剂或石油溶剂油，质地纯净，气味没有松节油那么刺鼻。石油溶剂油性质稳定，不易变质，干燥速度比松节油快。干燥之后，颜料表面会形成亚光效果。

甘松油

通常情况下，溶剂会加快油画颜料的干燥速度，甘松油则能延缓颜料干燥。甘松油价格昂贵，和松节油及石油溶剂油一样，是无色的。

低气味稀释剂

近年来，市面上出现了多种低气味稀释剂，其缺点是价格相对较高，干燥速度较慢。不过，在空气流通状况欠佳的空间内作画时，或对于不喜松节油气味的画家们来说，这种低气味稀释剂确实是一个理想的选择。

柑橘类溶剂

你还可以选择柑橘类稀释剂。这种稀释剂质地要比松节油和石油溶剂油稠厚，但是气味芬芳。其价格高于一般的稀释剂，挥发较慢。

力克剂

力克剂是油性或醇酸介质的一种，能极大地缩短颜料的干燥时间，几个小时即可。除此以外，力克剂还能改善颜料的流动性，增强颜料层的韧性。适用于油画上光，能持久保持颜料的本色，而不会随着时间变长发黄变暗。

画　刷

油画刷通常是由猪鬃制成的，因为猪鬃不易变形，能蘸取一定重量的颜料。天然毛发制成的画刷一般用来画水彩画和水粉画，如果使用完毕后能清洗干净，还可用来画丙烯颜料画或油画的细节。合成纤维刷质量上乘，耐磨，使用寿命长，价格也相对便宜。

细节画刷

索具刷的笔尖又细又长，最初是专门用来描绘船只的帆桅及索具的，因此得名。斜峰刷则是平头刷的一种，刷毛前端被修剪成一定的角度。天然材料和人工合成材料都可用于制造索具刷和斜峰刷。

画刷的形状

索具刷

斜峰刷

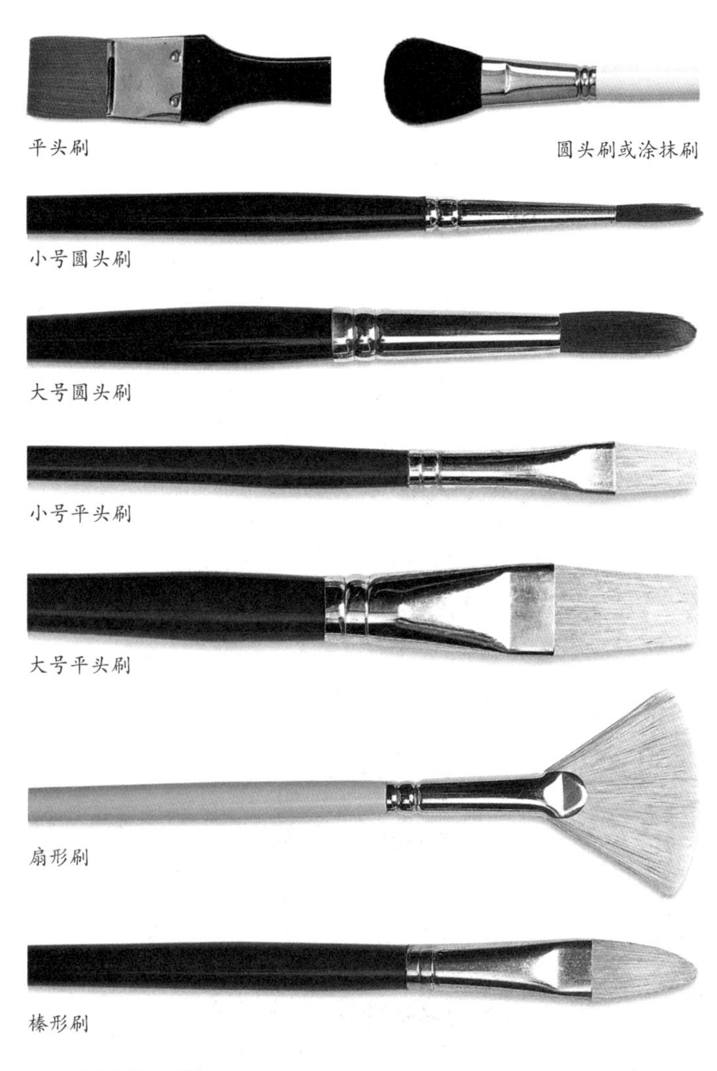

平头刷

圆头刷或涂抹刷

小号圆头刷

大号圆头刷

小号平头刷

大号平头刷

扇形刷

榛形刷

水洗刷

水洗刷刷头宽大，可蘸取很多颜料，适用于大面积涂抹。有两种类型：圆头刷或涂抹刷、平头刷。前者多用于水彩和水粉颜料，后者则更适用于油画及丙烯颜料。

圆头刷

圆头刷的刷毛前端被修成圆形，常用于刻画细节和画简笔画。大号的圆头刷可蘸取较多的颜料，适用于色彩的初步填充。由于经常和粗糙的载体表面摩擦，刷头很容易磨损。左图所示的圆头刷是由天然毛发所制。

平头刷

平头刷的刷毛前端被修得非常齐整，能蘸取较多的颜料。大号平头刷适用于大块面涂抹，可迅速填充大面积色块，笔迹平滑无刷痕。不管使用哪种颜料，购买画刷前都要和画材经销商好好交流，让他推荐最适用的鬃毛或纤维画刷。短毛平头刷，刷毛坚硬，只能蘸取极少的颜料，笔触精准简洁，一般用于厚涂画法或表现精微的细节。

不规则形状的画刷

扇形刷通常用于调色或干画法。榛形刷则集合了平头刷和圆头刷的一些特点。

画刷的清洗

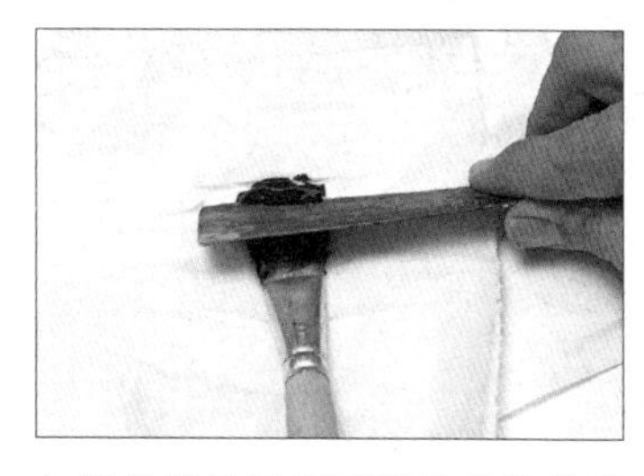

1.彻底清洁画刷可延长其使用寿命。用废布或废报纸去除刷毛上尚未变干的颜料。用调色刀按住刷毛接近金属套的部位，压紧，然后向刷毛端刮动，尽量将刷毛中的颜料挤出来。

2.如果画刷上沾的是水溶性颜料，比如丙烯颜料或水粉颜料，可以在涮笔容器内倒入少量的家用石油溶剂油（颜料稀释剂），清水也可以。容器内溶剂或水的量以没过刷毛为宜，将刷头浸入其中搅动，并不断用刷毛挤压瓶身，挤出刷毛中干结的颜料。

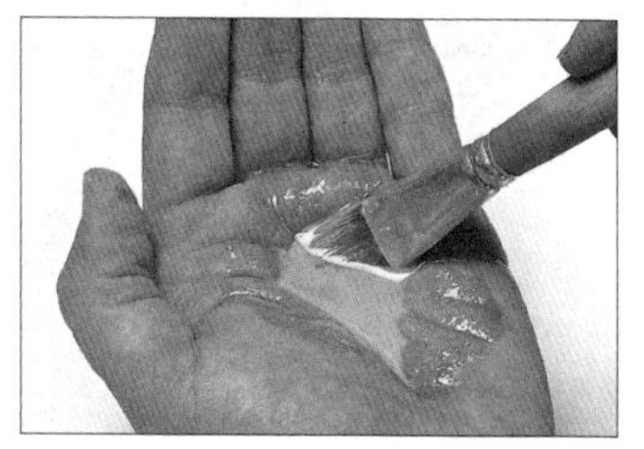

3.用手指将洗洁精涂抹在刷毛上，在清水中反复漂洗，直到漂洗后的水不再混浊。整理好刷毛，将画刷刷毛朝上收入笔筒，这样可以防止刷毛变形。

其他绘画必需品

除了上面提到的各种画具外，在绘画过程中，你还可能用到一些其他工具。比如固定作品的画板，支撑画板的画架，以及施展某些绘画技法的必需工具。

画板和画架

作画过程中最重要的一点就是，工作平台必须平整稳定。如果你用的是成本的水彩画纸，那么画纸本本身就可以作为一个简易的工作平台，你可以将画纸本放在桌面或膝头

便携箱式画架

这种画架一侧带有一个轻便的抽屉，可盛放户外写生所需的各种工具。此外，还带有可调节横杆，可根据需要进行调节，固定不同规格的画板。有些画架的开合角度不能调节，只能固定在比较陡的角度上，因此不适合水彩画创作。购买时，应事先确认。

桌上画架

桌上画架价格不高，但是功能多样，得到很多画家青睐。和箱式画架一样，它也可以根据需要调节摆放角度。另外，桌上画架还有便于存放的优点。

上，增强其稳定性。如果你用的是单张的水彩画纸，就需要将其固定在画板上了。购买画板时，要选择比较硬实的，这种画板不易变形，尺寸以45厘米×60厘米为宜。使用时，用胶带或订书钉将画纸固定在画板上。

至于是否使用画架，完全根据个人喜好而定。市面上的画架种类繁多，可以任意选择。不过有一点要注意，水彩颜料非常稀，很容易在重力作用下四处流淌，污染画面。因此，你最好选择一种能水平放置或倾斜角度很小的画架。直立式画架适用于油画创作，不适合画水彩画。

其他有用的什物

还有很多东西在绘画过程中都能派上用场，比如手术刀或工艺刀。精致的刀尖可以在不损害画纸的前提下，挑起紧粘在纸上的遮蔽胶带。刀片还可以用来刮磨细小的线条，这就是所谓的刮花工艺。不起眼的纸巾也有用武之地，它可以清洁调色板，剥离颜料或者在颜料变干之前软化颜料。

橡皮

橡皮可清除并修正草稿中的铅笔线。橡皮擦过后，草稿就不会显现在最后完成的画作中了。

遮蔽胶带和遮蔽液

遮蔽是水彩画的基本技法之一，它可以将欲留白或暂时不想上色的部分保护起来。根据欲留白部位的大小和形状，选择是使用遮蔽胶带，还是遮蔽液。遮蔽胶带还可将厚水彩画纸固定在画板上。

海绵

天然海绵和合成海绵能吸除多余的水分。小片海绵可用来去除尚未变干的颜料。有些画家甚至直接使用海绵作画。

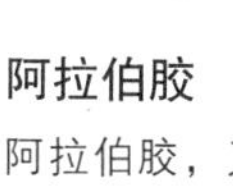

阿拉伯胶

阿拉伯胶，又叫阿拉伯树胶，是一种天然植物胶。加到水彩颜料中，可以提高颜料的黏稠度，延缓干燥时间，从而获得更宽裕的创作时间。在颜料中滴几滴阿拉伯胶，然后混合均匀，胶质赋予颜料的光泽跃然纸上，色彩也会变得更加鲜艳。

莫尔棒

莫尔棒是木制或竹制的小棒，一端镶有软皮球，可抵在画面上，根据要求调整位置，跟画面呈一定的角度，支撑握笔的手，防止手抖污染画面。

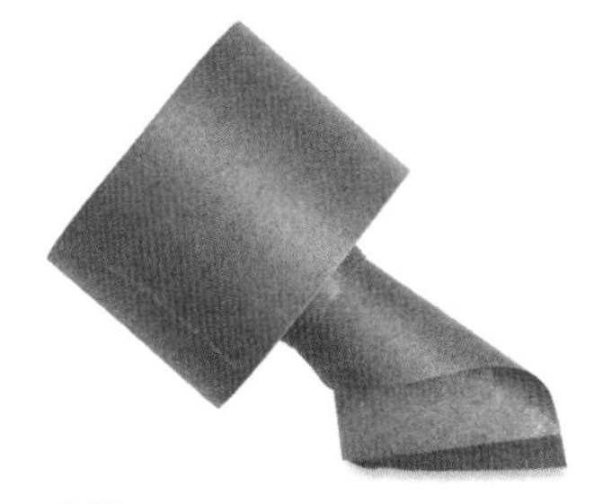

胶带

棕色纸胶带主要用来将轻薄的水彩纸粘在画板上，保持画纸平展无痕。等画作完成，颜料完全变干后，用手术刀和铁尺将胶带切割去除即可。遮蔽胶带没有黏性，不能用于这种用途。

随着绘画技术的提高和绘画风格的改变，你可能会为自己添置下列趁手工具。你可能会根据自己的需要，收集一套“家伙什儿”，比如用作静物道具的碗、花瓶，用作背景的布料或壁纸。或许你还需要拍摄照片，放在一旁，作为创作时的参考。能为你所用的事物无穷无尽，在这一点上，正应了那句话：只有想不到，没有做不到。

上光油

油画或丙烯颜料画完成后，可以涂上一层上光油。它能在颜料表面形成一层光亮或亚光的薄膜，对画作起到保护作用。下面是几种常用的上光油。

丙烯酸亚光油

这是一种合成上光油，适用于油画和丙烯颜料画。图中所示的这种油，变干后会形成亚光效果。

润色上光油

如果尚未完成的油画作品的某些部位看起来颜色暗沉，可随时使用润色上光油，恢复颜料的色彩和光泽。经溶剂稀释后的达玛树脂和和玛蒂树脂可用作润色上光油。

蜂蜡上光油

蜂蜡上光油是蜂蜡与稀释剂混合而成的，通常用于油画。蜂蜡上光油涂抹在作品上后，只需停留片刻，然后用布擦拭，去除多余的蜡质，擦拭的次数越多，画面就越闪亮。

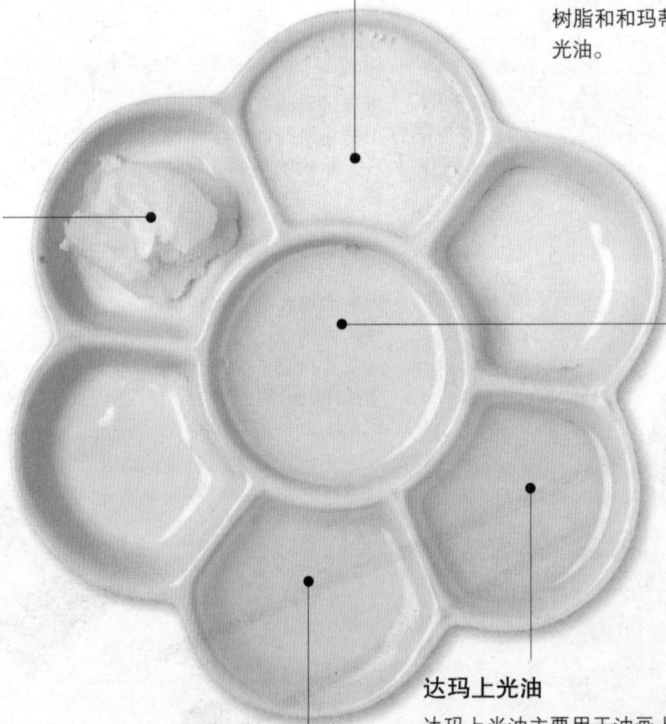

达玛上光油

达玛上光油主要用于油画上光，是由达玛树分泌的树脂制成的——达玛树主要分布于印度尼西亚和马来西亚。由于树脂中含有天然蜡质，因而达玛树脂溶于松节油后会变成浑浊液体。但是油层变干后，就又是透明的了。达玛上光油会随着时间流逝而变黄，你可以轻易地去除变黄的油层，重新补涂一层，效果和原来的一样好。达玛上光油干得非常快。

丙烯酸高光油

这种上光油主要用于丙烯颜料画，变干后能形成高光效果。